勿使前辈之遗珍失于我手

勿使国术之精神止于我身

杨澄甫

太极拳体用全书

杨澄甫武学集注

杨澄甫·著
邵奇青·校注

武学名家典籍丛书

太极拳体用全书

北京科学技术出版社

杨澄甫（1883年7月11日－1936年3月3日），生于北京，与其祖父杨露禅、伯父杨班侯、父亲杨健侯均为太极名家。

他自幼随父亲杨健侯研习家传太极拳。先后在武汉、南京、上海、杭州、广州等地教拳。1928年，他应张之江邀请到南京中央国术馆任职。为适应社会发展，杨澄甫将原杨式太极拳的十五个套路简化定型为五个套路，并一生以授拳为业，可谓桃李满天下。现在社会上演练杨式太极拳的大多都是他一脉相传。国家体委武术科于1957年组织专家编排的『八十八式太极拳』，基本上就是杨澄甫先生所简化定型的八十五式太极拳的虚腿拳架。

感谢邵奇青先生收藏并提供版本

出版人语

武术作为中华民族文化的重要载体，集合了传统文化中哲学、天文、地理、兵法、中医、经络、心理等学科精髓，它对人与自然和谐共生关系的独到阐释，它的技击方法和养生理念，在中华浩如烟海的文化典籍中独放异彩。

随着学术界对中华武学的日益重视，北京科学技术出版社应国内外研究者对武学典籍的迫切需求，于 2015 年决策组建了“人文·武术图书事业部”，而该部成立伊始的主要任务之一，就是编纂出版“武学名家典籍”系列丛书。

入选本套丛书的作者，基本界定为民国以降的武术技击家、武术理论家及武术活动家，而之所以会有这个界定，是因为民国时期的武术，在中国武术的发展史上占据着重要的位置。在这个时期，中、西文化日渐交流与融合，传统武术从形式到内容，从理论到实践，都发生了巨大的变化，这种变化，深刻干预了近现代中国武术的走向。

这一时期，在各自领域“独成一家”的许多武术人，之所以被称为“名人”，是因为他们的武学思想及实践，对当时及现世武术的影响深远，甚至成为近一百年来武学研究者辨识方向的坐标。这些人的“名”，名在有武术的真才实学，名在对后世武术传承永不磨灭的贡献。他们的各种武学著作堪称为“名著”，是中华传统武学文化极其珍贵的经典史料，具有很高的文物价值、史料价值和学术价值。

首批推出的“武学名家典籍”丛书第一辑，将以当世最有影响力的太极拳为主要内容，收入了著名杨式太极拳家杨澄甫先生的《太极拳使用法》《太极拳体用全书》；一代武学大家孙禄堂先生的《形意拳学》《八卦拳学》《太极拳学》《八卦剑学》《拳意述真》；武学教育家陈微明先生的《太极拳术》《太极剑》《太极答问》。民国时期的太极拳著作，在整个太极拳发展史上占有举足轻重的地位。当时的太极拳著作，正处在从传统的手抄本形式向现代著作出版形式完成过渡的时期；同时也是传统太极拳向现代太极拳过渡的关键时期。这一历史时期的太极拳著作，不仅忠实地记载了太极拳架的衍变和最终定型，而且还构建了较为完备的太极拳技术和理论体系，而孙禄堂先生的武学著作及体现的武学理念，特别是他首先提出的“拳与道合”思想，更是使中国武学产生了质的升华。

这些名著及其作者，在当时那个年代已具有广泛的影响力，而时隔近百年之后，它们对于现阶段的拳学研究依然具有指导作用，依然被太极拳研究者、爱好者奉为宗师，奉为经典。对其多方位、多层面地系统研究，是我们今天深入认识传统武学价值，更好地继承、发展、弘扬民族文化的一项重要内容。

本丛书由国内外著名专家或原书作者的后人以规范的要求对原文进行点校、注释和导读，梳理过程中尊重大师原作，力求经得起广大读者的推敲和时间的考验，再现经典。

“武学名家典籍”丛书，将是一个展现名家、研究名家的平台，我们希望，随着本丛书第一辑、第二辑、第三辑……的陆续出版，中国近现代武术的整体风貌，会逐渐展现在每一位读者的面前；我们更希望，每一位读者，把您心仪的武术家推荐给我们，把您知道的武学典籍介绍给我们，把您研读诠释这些武术家及其武学典籍的心得体会告诉我们。我们相信，“武学名家典籍”丛书这个平台，在广大武学爱好者、研究者和我们这些出版人的共同努力下，会越办越好。

导读

一、出版背景

书籍的物质形态往往带有时代文化的折射，每本书籍都能找到不同时代的印记。

1927 年至 1937 年，被一些历史学者称为中国思想文化领域的“黄金十年”。著名历史学家周谷城先生曾说：当时“一段时间里，中国几乎变成了世界学术的缩影，各种主义、党派、学派、宗教纷纷传入，形形色色，应有尽有……在学术思想界、文化教育界，产生了许多前所未有的代表人物和代表著作，呈现出空前繁荣的景象”。

1928 年 5 月，国民政府颁布《著作权法》和《著作权法施行细则》，其中规定：“凡已注册之著作物，应于其末幅标明某年月日经内政部注册字样，并注明执照号数。”“书籍或其他出版品，应于其末幅记载发行人之姓名、住所，发行年月、版次、发行所及印刷所之名称及所在地。”

1930 年 12 月，国民政府颁布实施了《出版法》，1931 年 1 月，由杨澄甫口述、董英杰编著整理的《太极拳使用法》（以下简称《使用法》）于文光印书馆印制。同年10月，内政部公布了《出版法施行细则》。

民国时期的出版管理法规从草创到齐备，日趋严密，形成了从中央到地方的严密网络。据《近现代出版新闻法规汇编》（刘哲民辑，学林出版社1992年12月出版）中统计，南京政府在短短23年统治时期，“颁布关于出版新闻的法令法规达到三百五十余件，合计四十五万余言”。

1933年10月，中华书局开始出版《世界名画集》；南京中国图书大辞典编辑馆印行杨家骆主编的《四库大辞典》。1934年1月，舒新城主编的《中华百科丛书》开始由中华书局出版，总类为：哲理科学、教育科学、社会科学、自然科学、应用科学、艺术、语文学、文学、史地等10类，全书100种。同年，中华书局在香港九龙建成印刷厂，印刷设备时称远东第一。杨澄甫的《太极拳体用全书》（出版人语：该书于1934年出版时书名为“太极拳体用全书第一集”，但此后并未出版续集，因此太极拳界习惯将此书称为《太极拳体用全书》，本书亦尊此俗称。）就是在这提倡国学文化、而出版法令几近严酷的期间面世的。

二、版本流变

1.“初版本”与流变

由杨澄甫口述、郑曼青整理助编的《太极拳体用全书》（以下简称为“初版本”，图1）于1934年2月由上海大东书局印制。书名由

图 1　“初版本”仿真本

被誉为“江南大儒”的钱名山题写。开卷题词者共十三人，依次为：蒋中正、吴思豫、蔡元培、张人杰、李煜瀛、吴铁城、张乃燕、朱庆澜、张厉生、庞炳勋、耿毅、黄元秀、李屏翰。其后是健侯老先生遗像、少侯大先生遗像和著者杨澄甫像。导言内容为“张真人传”、郑曼青的“郑序”、杨澄甫的“自序”和“例言”。正文内容为十三势体用拳谱和五篇拳论，最后是“版权页”和有40处错误的“勘误表”。

1957年5月，人民体育出版社根据“初版本”翻印并数次再版《太极拳体用全书》（以下简称“北京版”，图2），该版本为正度32开本，横排繁体字，手描拳架图。内容删去了全部题词、郑曼青的“郑序”、杨澄甫的“自序”和“例言”、原“版权页”，增加了杨澄甫

图 2　“北京版”

《太极拳之练习谈》《太极拳术十要》。

1989 年 7 月，天津市古籍书店根据“初版本”影印出版了《太极拳体用全书》(以下简称“天津版”，图 3)，该版本为正度 32 开本，版心较“初版本”缩小百分之十，并去掉了版心黑框。内容删去了全部题词、人像照片、“郑序”和原“版权页”，保留了杨澄甫像、杨澄甫“自序”和“例言”及有 4 处错误的“勘误表”。

图 3　“天津版”

1993 年，永年国际太极拳联谊会编印了《从古城走向世界——永年太极拳史料集成》一书（图 4），书中选登了韩兴民所藏“初版本”中的五人题词和原“版权页”照片（以下简称“韩藏本”，图 5）共 10 幅，尽管该书不是正式出版物，照片也并不清晰，但却使更多以前没机会见到“初版本”的人，对题词部分和“版权页”有了一定的了解和认识。

图 4　“韩藏本”封面

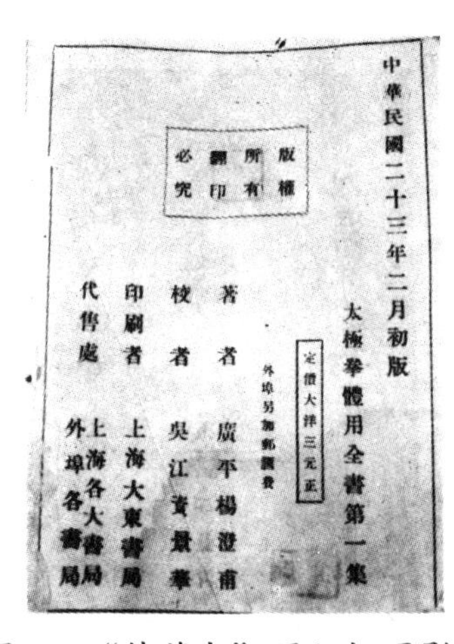
中華民國二十三年二月初版
太極拳體用全書第一集
定價大洋三元正
外埠另加郵匯費
版權所有 翻印必究
著者 廣平楊澄甫
校者 吳江黃景華
印刷者 上海大東書局
代售處 上海各大書局 外埠各書局

图 5　“韩藏本”原版权页影印

2.“再版本”与流变

1948 年 10 月，杨守中根据“初版本”在中华书局香港印刷厂再版了《太极拳体用全书》（以下简称“再版本”，图 6），书名去掉“第一集”字样，由欧阳驹题写书名。题词者减少为八人，依次为：蒋中正、吴铁城、蔡元培、张厉生、张乃燕、吴思豫、张人杰、庞炳熏。其后是健侯老先生遗像、少侯大先生遗像和著者澄甫先生遗像和增加的杨守中像。内容中增加了杨守中的“重刊太极拳体用全书序”，正文内容不变。“再版本”依据“初版本”的版式重新排版，“版权页”的内容有所调整（图 7）。

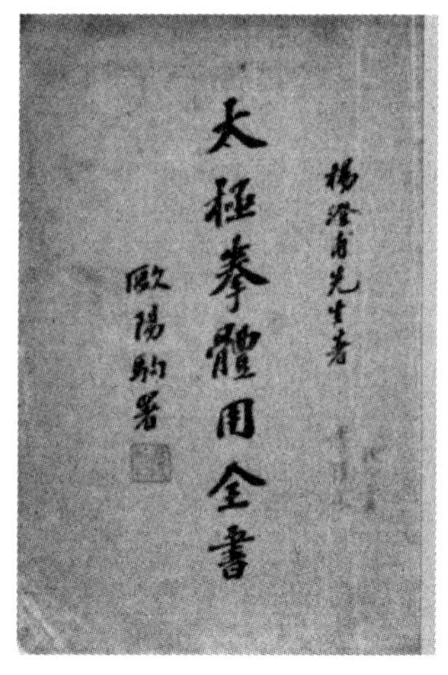

图 6　“再版本”

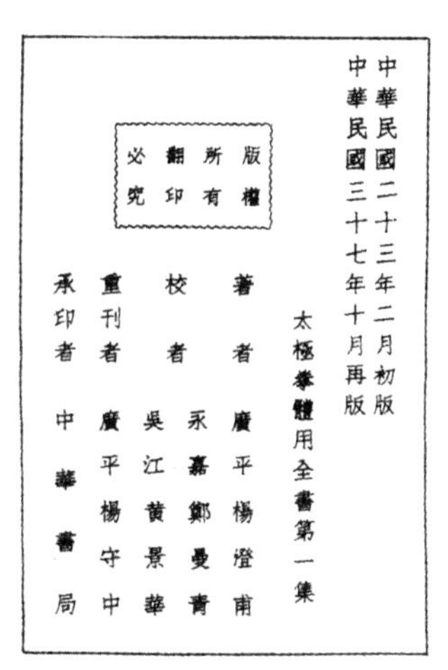

中華民國二十三年二月初版
中華民國三十七年十月再版

太極拳體用全書第一集

版權所有 翻印必究

著者 廣平楊澄甫
校者 永嘉鄭曼青 吳江黃景華
重刊者 廣平楊守中
承印者 中華書局

图 7　“再版本”的版权

“再版本”在版式上与“初版本”有以下区别：

（1）“初版本”版心高度为 173mm，每竖行为 36 字。“再版本”的版心高度为 165mm，每竖行为 34 字；

（2）“再版本”去掉了正文版心四周的黑色边框，仅一条横波纹线置于版心上方；

(3)“再版本”修正了“初版本”两种“勘误表”中所列出的全部字误；

(4)“再版本”与“初版本”的开本尺寸、用纸和装订方式均不同；

(5)“再版本”的“版权页”与“初版本”的两款均不同。

图 8　“上海版”

1986 年 4 月，上海书店根据“再版本”影印出版了《太极拳体用全书》(以下简称“上海版”，图 8)，该版本为正度 32 开本，版心较“再版本”缩小百分之十，删掉了全部八人题词、人像照片、“郑序”、原“版权页”和杨守中的“重刊太极拳体用全书序”，保留了“再版本”的其他全部内容。

2001 年 5 月，台湾逸文出版有限公司根据“再版本”翻印出版了《太极拳体用全书》(以下简称“台北版”，图 9)，该版本为大度 32 开本，并依照“再版本”的版式进行了重新排版，除版心略有缩小，并删除原“版权页”之外，保留了“再版本”的其他全部内容。

图 9　“台北版”

1993 年 3 月，杨振基口述、严翰秀整理的《杨澄甫式太极拳》由广西民族出版社出版（以下简称“广西版”，图 10)，书中附录二登载了“再版本”的部分影印件，包括杨守中的“重刊太极拳体用全书序”，以及全部 94 式拳架和推手的内容。所有拳照周围有明显的贴痕，说明已用较为清晰的图做了相应的替换（图 11）。全部影印页均为原大，版心尺寸没经过缩放。

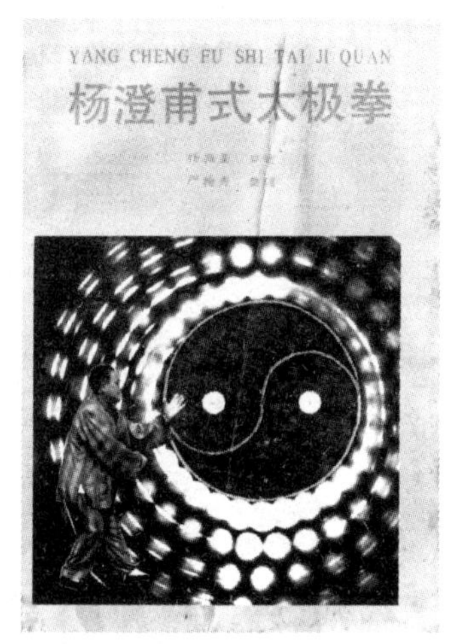

图 10　“广西版”

太極拳體用全書

太極拳起勢

第一節

此為太極拳預備動作之姿勢。立定時。頭宜正直。意含頂勁。眼向前平視。含胸拔背。不可前俯後仰。沈肩垂肘。兩手指尖向前。掌心向下。鬆腰胯。兩足直踏。平行分開。距離與肩相齊。尤要精神內固。氣沉丹田。一任自然。不可牽強。守我之靜。以待人之動。則內外合一。體用兼全。人皆於此勢易為忽略。殊不知練法用法。俱根本於此。望學者首當於此注意焉。

254

图 11　“再版本”影印照片之

3. 对版本流变的认识

（1）人们对于“初版本”中题词或部分题词的认识，来自于“初版本”“再版本”“韩藏本”和“台北版”。

（2）“初版本”和“再版本”中的“版权页”，在以后的翻印或影印本中均被删除。

（3）“初版本”中的“勘误表”，仅在“天津版”中登载。

（4）人们对于“初版本”中“版权页”的认识，来自于“初版本”“再版本”和“韩藏本”。

（5）人们对于“初版本”中“勘误表”的认识，来自于“初版本”和“天津版”。

从 1934 年“初版本”面世至 2001 年台北版发行的 67 年中，尽管有七种版本流传于世，但人们对“勘误表”和“版权页”所发生的流变仍是陌生的。

三、“初版本”存在两种版样和认识分歧的起因

2004年6月4日，上海男高音歌唱家戚长伟先生将自己收藏近三十年的“初版本”赠与马来西亚新山永年太极拳教练黄建成收藏（以下简称“黄藏本”，图12）。不久，黄建成先生撰写了“杨澄甫原著之谜”（以下简称《之谜》）一文，文中提出“初版本”是否存在两个版本的疑问：

图12　“黄藏本”

（1）与“韩藏本”不同的是，“黄藏本”的题词者为十一人，缺少蒋中正（图13）和吴思豫（图14）的墨迹。

图13　蒋中正题词

图14　吴思豫题词

(2)“黄藏本”中“版权页”的校者为“永嘉郑曼青”(图 15),“韩藏本”中“版权页”的校者为“吴江黄景华”(图 16),与“中华民国二十三年二月初版”的出版日期相同。

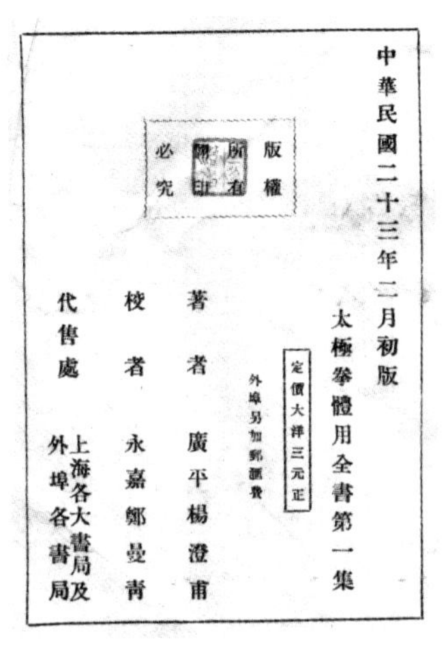
中華民國二十三年二月初版
太極拳體用全書第一集
定價大洋三元正
外埠另加郵滙費
版權所有 翻印必究
著者 廣平楊澄甫
校者 永嘉鄭曼青
代售處 上海各大書局及外埠各書局

图 15 “黄藏本”版权

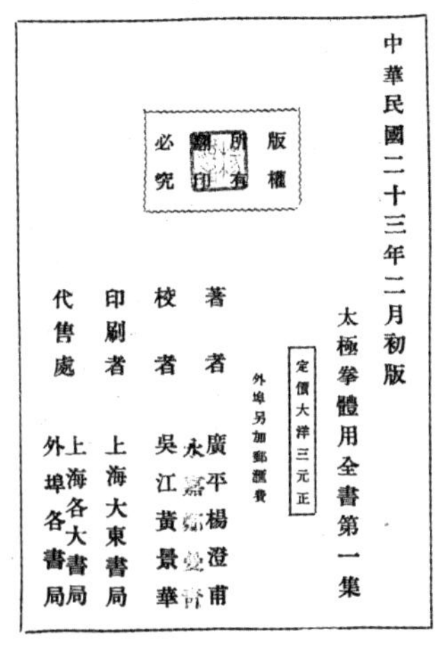
中華民國二十三年二月初版
太極拳體用全書第一集
定價大洋三元正
外埠另加郵滙費
版權所有 翻印必究
著者 廣平楊澄甫
永嘉鄭曼青
校者 吳江黃景華
印刷者 上海大東書局
代售處 上海各大書局 外埠各書局

图 16 “韩藏本”版权

为此,黄建成先生认为,瞿世镜先生在《杨氏太极是一家》及其他有关文章中力捧其恩师黄景华参与整理该书,这其中一定有不为人知的“奥妙”,并假设“……显然是有人在第一次印刷时欺世盗名将自己名字印上,令杨澄甫老师不满而作第二次的印刷,恢复校者郑曼青的名字”。

总结黄建成先生之观点:这两个不同的版本均为印刷原版本,“韩藏本”为第一次印刷,“黄藏本”为第二次印刷。

2008 年 8 月,路迪民先生撰写了《〈太极拳体用全书〉版本考证》(以下简称《考证》)一文,文中指出:“从原件的收藏和传递情况看,我们没有理由怀疑永年(指“韩藏本”)和黄建成的任何一个版本是假的,因此只能认为,《太极拳体用全书》的初版可能印过两次。”至于两个版本孰前孰后，路迪民先生依据的是以题词者多少为准，给出“马来西亚藏本（指“黄藏本”）是第一次印刷的，永年藏本（即“韩藏本”）是第二次印刷的”的结论。

路迪民先生与黄建成先生的结论相反，黄建成先生的结论源自“版权页”上“校者”的变异，而路迪民先生的结论出自题词者的多寡。

2009 年，瞿世镜先生在台北出版了《杨氏太极两岸一家》一书（该书在 2011 年 12 月由上海古籍出版社再次出版。以下简称《一家》，图 17），其中第十四章“《太极拳体用全书》谜底何在?”中，对“黄藏本”中校者“永嘉郑曼青”，“试作两种可能性推理：其一，如今电脑技术何等发达，伪造一张版权页，以假乱真，岂非轻而易举?其二，老夫曾闻吾师言及，当年……多次前往大东书局校对，颇费周折，而大东书局送来之样书错误百出，最后定稿之文本虽经勘误，却将曼青师伯大名遗漏，不得不用红色印泥为其加盖印章”，其意为“黄藏本”的“版权页”涉嫌造假之疑，而“初版本”“将曼青师伯大名遗漏”，为“大东书局送来之样书错误百出”所致。并指出“黄先生提供之版权页复印件，并无大东书局名号，此乃正式出版前之校样也!”

图 17 《杨氏太极两岸一家》封面

随着“韩藏本”的披露和“黄藏本”的出现，“初版本”在面世了七十年后，由于题词数量和“版权页”中“校者”姓名不同，由此开始在圈内引发了种种思考和猜测，不同观点的论述亦随之鹊起。

图 18　“李藏本”

2010 年 9 月 28 日，笔者偶得李立群先生所藏“初版本”的复印本（以下简称为“李藏本”，图 18）。该藏本复印清晰，保存完好，题词者为十三人。同年 10 月 23 日，笔者在博客上发表《杨澄甫〈太极拳体用全书〉七种版本概况》一文，文中认为“光是在初版题词人的多少、著者校者的身份确定等方面来探讨初版究竟印刷了几次，应该不是正确的入门途径”。并提出从“李藏本”和“天津版”两种不同的“勘误表”（图 19、图 20）入手，“那么初版印刷过多少次，哪个版本是初版的第几次印刷也就迎刃而解”的看法。

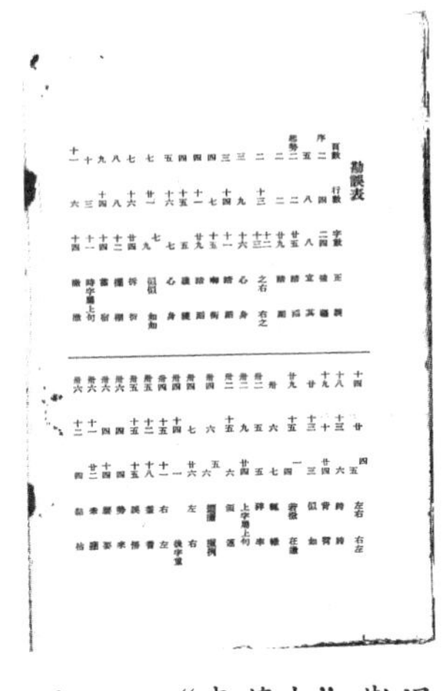

图 19　“李藏本”勘误

勘誤表

頁數	行數	字數	正	誤
六五	一五	一一	左	右
六五	一五	一七	右	左
七一	四	四	勢	來
七一	一一	一三	牽	擺

七二

图 20　“天津版”勘误

2011 年 1 月 16 日，笔者在博客上发表《“原版书”、“原版样书”及其他——杨澄甫〈太极拳体用全书第一集〉版本辨析》一文，文中根据当时的出版法规背景和本人在印刷厂工作期间的经验，针对题词、“版权页”和“勘误表”的异同，提出题词数不一之原因的看法，并与瞿世镜先生的结论相同，确定“黄藏本”为校对用样书。

无独有偶，2011年9月，笔者又偶得与“黄藏本”同一版式的“初版本”（以下简称“邵藏本”，图21），题词者为十一人。于是，笔者把全本进行扫描后，发给始终关注此事的二水居士鉴别。同年11月27日，翟金录先生、唐才良先生和二水居士等人在金仁霖老师家观审了“邵藏本”之原件。

图21 “邵藏本”

2011年11月28日，唐才良先生给笔者发来《试析〈太极拳体用全书〉初印版之迷》的初稿（以下简称《试析》），文中提出“邵藏本”和“黄藏本”并非勘误定稿前的样书，而是第一次小批量印刷的“原始版本”，是作为“初次印刷物”的“内部刊物”。

行文至此，我们不妨把上述不同观点做个梳理：

(1) 从“勘误表”来看，“黄藏本”“邵藏本”和“天津版”所标出的错误仅为4处，而在“李藏本”中所标出的错误多达40处。从“勘误表”所载的错误数量上来看，“黄藏本”“邵藏本”和“天津版”应当为第一次印刷，而“李藏本”“韩藏本”则为第二次印刷。理由是，在校对时，发现错误的概率只会增多，而不可能越校越少。这与路迪民先生从题词者多少的角度而给出的结论相同。

(2) 从“版权页”来看，“黄藏本”“邵藏本”的“校者”同为“永嘉郑曼青”，而在“韩藏本”和“李藏本”中，“校者”却为“吴江黄景华”。因此，黄建成先生给出的看法与上述结论恰恰相反：“黄藏本”“邵藏本”当为第二次印刷，“韩藏本”“李藏本”则为第一次印刷。黄建成先生的结论，恰恰忽视了一个不应该忽视的问题，即为什么会在第二次印刷时，会剔除蒋中正和吴思豫的题词？

(3) 从题词者多少来看，“黄藏本”“邵藏本”的题词者中缺少蒋中正、吴思豫，为十一人；“韩藏本”“李藏本”则为十三人。因此，缺题词者的“黄藏本”“邵藏本”当为第一次印刷，而“李藏本”“韩藏本”则为第二次印刷。这与路迪民先生给出的结论相同。

(4) 从表面上看，《之谜》和《考证》的“两次印刷”结论都没错，但是两个不同版本的“两次印刷”孰前孰后的问题，在“版权页”和“勘误表”面前，显然都相互解释不通。那么，“黄藏本”“邵藏本”究竟是“校对样书”还是“正式印品”，又纠结成一个不解之谜。

(5) 谜上加谜的是，唐才良先生在《试析》一文中关于“黄藏本”“邵藏本”是“内部刊物”之说（这里有个值得纠错的用词，“刊物”是指期刊，“初版本”为书，应称之“内部书籍”为妥，以下应用时改称“内部书籍”）。

至此，“初版本”为什么会有两种面孔？究竟印过几次？两个版本的印刷孰前孰后？是“正式印品”，还是“校对样书”，抑或是“内部书籍”？这些问题被摊上了桌面，所持的不同观点亦已摆明，对它的研究似乎与版本学沾上了边。

四、从“勘误表”的剖析，来认识“初版本”两种版本之谜

从两种“勘误表”来看两款“初版本”的印制先后，其实并不

复杂。

图 20 的“勘误表”为“黄藏本”“邵藏本”和“天津版”所附，所标出的错误为 4 处，图 19 的“勘误表”为“李藏本”所附，所标出的错误多达 40 处。综前所说，校出文字错误更多的“勘误表”肯定是印刷在后，而不会是先行校对的结果。

而真正的问题在于，仅为 4 处有错的勘误是谁校对的？为什么仅校对出 4 处？如果不了解印刷工序全部流程，那就根本没有可能找到答案。笔者年轻时曾在包括中华印刷厂在内的三家印刷企业的打样车间和生产、技术管理部门工作过，要回答上述问题之前，有必要简单介绍一下从排版到校样的过程。

当书稿制定开本、划出版样后，第一道工序就是排字，经过排版后就进入打样工序，在打样机上打印出样张后，先由厂方校对人员进行初校，亦称“毛校”或“内校”。“内校”是以客户提供的原稿作为依据，对排版的文字是否有错而进行校对。原稿即使存在明显错误，校对人员也不作更改。根据校对人员的校对结果，打样出一页“勘误表”附后，再进行折页、装订等工序，制成与成品规格要求相同的样书数本，供委印方校对。由此可见，仅有 4 处错误的“勘误表”为排版工序的校对人员所校，因此可以看出，另外的 30 余处则源自原稿本身的文字错误。

至于样书的数量，一般供委印方校对的样书是五到六本，如果委印方事先有增加样书的具体要求，数目则就不可确定了。正式印刷时，把委印方所校出的错误一并排版在“勘误表”中，这也就是存在两种“勘误表”的原因所在。

在当时手工铅字排版的条件下，逐一修改错字相当繁难，要经过融铅、铅排、浇铅整合等工序，尤其是对于图文混合的版面来说，更具有一定的复杂性。因此，在民国时期直至新中国成立初期出版的书籍中，后附“勘误表”的情况比比皆是。

综上所述，我们可以得出如下定论：“黄藏本”“邵藏本”和“天津版”的原稿并非是唐才良先生所认为的“内部书籍”，而是供“内校”“外校”所用的“校对样书”，而“李藏本”“韩藏本”的属性则为“正式印品”无疑。因此也就解开了“初版本”所谓有过“两次印刷”的误判。

五、关于两幅迟到题词的探索

按前文所分析，在“校对样书”中，题词者为十一人，在“正式印品”中，增加了蒋中正和吴思豫，题词者为十三人，值得质疑的是，为什么在“校对样书”中没有这两人的题词？这两幅题词又是何时完成的？

路迪民先生在《考证》一文中写道：“笔者从另一个角度也可以断定，蒋介石的题词绝对是在初版前后得到的。因为保存再版的人都肯定再版中有蒋介石题词……”，这个断定没错，只是不具说服力。

金仁霖老师在《我所知道的〈太极拳使用法〉和〈太极拳体用全书〉的编写经过》一文中所说“杨澄甫老师又把《太极拳体用全书第一集》的编写定稿任务交给了郑曼青先生”的时间是“一九三二年二月十日……大年初五”。在这段话里需要指出的是，杨澄甫交给郑曼青的其实并非“定稿”，而就是《太极拳使用法》的初稿。至于郑曼青整理编辑文字用了多长时间，以及又在何时把全部资料送达大东书局，这就不得而知了。

从“初版本”的稿件开始整理的时间，到出版面世的时间，均有以下资料可以确定：根据以上金仁霖老师所述，杨澄甫把《太极拳体用全书》的编写整理任务交给郑曼青的时间是“一九三二年二月”。郑曼青在《郑子太极拳十三篇》（以下简称《十三篇》）的“自序”中记载：“初版本”“此盖由余与同门匡克明之请，于二十三年五月，得以刊行。”综上所述，“初版本”正式启动的时间为 1932 年 2 月 10 日，正式发行面世的时间为 1934 年 5 月。

在“初版本”的题词者中，我们能在落款中见到题词时间的，一个是当时担任全国航空建设委员会委员的朱庆澜，他题词的落款日期为“中华民国二十二年十一月”，即 1933 年11 月。另一个是在浙江军政诸界享有很高的声誉的黄元秀，他题词的落款日期为“癸酉秋月”，即 1933 年秋季。他们两人的题词在“校对样书”中已经列入。由此可见，“初版本”中所载入的十一幅题词，在 1933 年 12 月之前均已送达。

根据上述信息资料，“初版本”的印制时间大致可作如下推算：

1932 年 3 月—1933 年 12 月：郑曼青整理编辑“初版本”文字；

1933 年 12 月—1934 年 1 月：“初版本”向国民政府内政部申报并完善准印及出版手续；

1934 年 2 月—3 月上旬：进入开本版样制定、排字、照相制版、拼版、打样、制作“校对样书”和内校程序；

1934 年 3 月中旬—3 月下旬：由杨家进行校对；

1934 年 4 月上旬—1934 年 5 月上旬：印刷，装订成书；

1934 年 5 月中旬，“初版本”正式发行，进入书铺、书坊实行销售。

现在我们就可以回到两幅迟到题词的问题上来说事了。上面说过，1934年二三月间，“初版本”进入开本版样制定、排字、照相排版、拼版、打样、制作“校对样书”和内校流程，在这段时间里，除蒋、吴两幅题词之外的十一幅题词肯定已经送达。而蒋、吴两幅题词何时送达则有两种可能，一是已经送达但没有在“校对样书”上刊出（这种情况从情理上应该是不会出现的）；二是可能两幅题词此时并未送达，而送达的时间，最迟应该不晚于“正式印品”正式开印之前。至于这两幅题词何以会迟送乃至错过在“校对样书”上刊出，个中原因怕已无人知晓了。

六、关于“内部凭证”和“内部书籍”之说的剖析

1.“内部发行”和“内部书籍”不能成为法律依据

唐才良先生《试析》中说：“初印的小批量书不作发行销售，只作‘内部书籍’，即使不标明承印发行商——上海大东书局，也不至于违反出版法。而且，盖上了杨澄甫的私章，已能明确宣告权利和责任。”这种说法显然只是一厢情愿的臆想，也是对当时的“出版法”缺乏了解所致，是否违反“出版法”，还是由“出版法”说了算，任何大师也没可能用私印代替法律，而凌驾于政府之上。

1930年12月16日，国民政府公布了第一部“出版法”，第一章“总则”的第一条即规定：“本法称出版品者，谓用机械或化学之方法所印制，而供出售或散布之文书、图画。”第三章“书籍及其他出版品”第十六条规定：“书籍或其他出版品，应于其末幅记载发行人

之姓名、住所、发行年月日及印刷所之名称及所在地。”国民政府时期公布的350余件关于出版新闻印刷的法规中，除了禁书，均无允许“内部发行”施行的法律条款。所谓“内部发行”或“内部书籍”，当是新中国成立后公布的《内部资料性出版物管理办法》中“内部资料性出版物”一词衍生出来的新名词，彼时尚无此概念。

2.“内部发行”和“内部书籍”说法的由来之查证

根据上文的分析结论，要否定“校对样书”是“内部刊物”的说法就不难了。

唐才良先生在《试析》一文中认为“校对样书”是“内部刊物”的理由，来自《永年太极拳志》第600页：“1931年1月经弟子董英杰协助整理，着《太极拳使用法》一书，由文光印务馆印刷，属内部发行，是为杨氏同门之凭证。”因此，唐才良先生认为：“那么在《太极拳使用法》基础上重新整理的《太极拳体用全书》，就不能用作‘杨氏同门之凭证’吗?”

其实，凡是仔细读过杨澄甫拳书的人，就不难看出《永年太极拳志》的这段文字的源头出自《太极拳使用法》第144页，原文为：“有此太极拳书，即为证书，书皮里可写本人姓名，知是杨传同志。”细细品之，这段带有广告推销的文字其意为：“凡得到了《太极拳使用法》，并在扉页里写上本人姓名的，就可以证明是喜欢杨澄甫太极拳的同道。”与原文对照，可见《永年太极拳志》的这段文字是曲解了原文的。为什么这样说呢，其一，“凭证”和“证书”皆指机关、学校或团体等所签发的证明资格或权力的文件，诸如荣誉证书、会员证书、身份证、驾驶证、出生证、毕业证、记者证等等。此类证书发放对象的姓名等相关资料，均由发放者填写，而非受证人所私自填写，这是一般常识。其二，从《太极拳使用法》的“版权页”来看，均注明有著者、编述者、发行者、印刷者，定价为实洋三元，以及出版时间和版次等出版物应有完备之信息要素，因此不难认定该书为正规出版物。

吴文翰先生在《杨澄甫式〈太极拳使用法〉和〈太极拳体用全书〉》（《武魂》2004 年第一期）一文中说：“《太极拳使用法》出版后，据说因‘文字俚俗’，杨氏曾将书铺未售出之书收回焚毁，故原版书流传不广。”笔者曾在金仁霖老师家翻阅并拍摄过他所收藏的《太极拳使用法》，书中除了有金老师的“五五年一月二十三日得于昭通路旧书摊”字样和签章，并无原持有者的签名（图 22）。金老师当时曾说“他还曾买到过数本”。在《为〈杨式太极是一家〉补漏正误》（《武林》2002 年第 1 期）一文中，金仁霖老师写道：“其实，《太极拳使用法》这本书既经上市，已分发到各销售店里的书，是无法再全部收回来销毁掉的。1955 年 1 月 23 日，我在河南中路商务印书馆南侧的昭通路上，就曾买到过簇新的一本，编号是 00893，这本书我至今还保存着。同年不久，又在这条路上买到纸色略为泛黄的一本，此书后来为吴寿康老师兄索去。”版权页中印有“代售处：中华书局及各大书坊”的字样，能在“书铺”和“各大书坊”公开出售的书籍，当无“内部”可言。

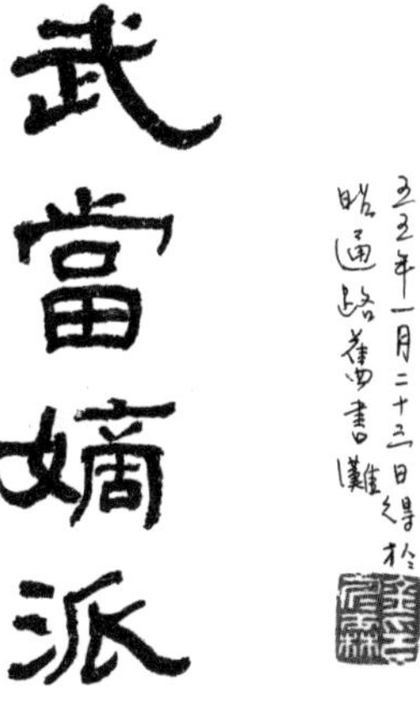

图 22　“金藏本”

如果《太极拳使用法》真是用于作为“内部”的“凭证”，杨府应该先把书籍如数运回，再从杨府向学生收费并逐一发放，而不是在“书铺”或“书坊”公开销售。

说清了《太极拳使用法》的出版属性，也就明确了该书并非用于“杨氏同门之凭证”的“内部书籍”，但还有几个问题让笔者不解：金仁霖老师所藏《使用法》的“版权页”上，有用蓝色号码盖上“00893”的编号（这也许与被误认为“凭证”“证书”一说有关），但目前存世的这批《使用法》其他藏本，是否也有这种编号？这种编号有何意义？这些问题尚祈高明解惑。

七、关于“初版本”“版权页”存在的异同之剖析

1. 民国时期“两次印刷”书籍的版权例证

黄建成先生、路迪民先生和唐才良先生在关于“初版本”探究的相关文章中，都依据题词者多少和“版权页”变异的问题，就事论事地提出了存在“两次印刷”之说。

这里仍需明确一些出版术语的概念：两次印刷，是指对同一本书的第二次出版，也称第二次印刷，其印刷分为“再版”和“重印”。“再版”是指利用原有的纸型、图版或底片再次印刷。如再版时，著作权人有所修改，出版者也在版本种类上进行过改变的，就称修订版。再版的图书，必须使用新书号，在版权页中注明再版的时间与数量的相关信息；“重印”是指将已出版的图书，不做任何改变而重新印刷。再版的图书照原样再印或略作小的改动直接印刷即可，在版权页中注明重印的时间与数量信息。

“初版本”如果真是经过“两次印刷”，应该是属于“再版”，那么在“再版”时是否需要在“版权页”上有所反映呢？就这个问题，下面以几款武学著作为例做一说明。

在“初版本”出版之前：许禹生所著《太极拳势图解》的“版权页”中注明“中华民国十年十二月初版、中华民国十四年五月再版”；姜容樵、姚馥春所著《太极拳讲义》的“版权页”中注明“中华民国十九年出版、中华民国二十年再版”；马永胜所著《新太极拳书》的“版权页”中注明“中华民国二十年十月再版”；等等。

与“初版本”出版时间相近的：余化行所著《太极拳全书》的“版权页”中注明“中华民国二十三年九月初版、中华民国二十五年四月再版”；吴志青所著《六路短拳图说》的“版权页”中注明“中华民国三十年八月再版”；李寿籛所著《武当嫡派太极拳术》的“版权页”中注明“中华民国三十三年九月初版、中华民国三十五年十一月再版、中华民国四十年十一月三版、中华民国四十四年八月四版”；等等。

通过上述例证，我们可以清楚地看到，当时凡经过“两次印刷”的出版物，在“版权页”上均已反映出应有的合法信息。作为“初版本”来说，根本没有可以通过合法途径，而去出版不合法之著作的必要。假如“初版本”真有印过两次，那么所谓的“第二次印刷”本也就应该在“版权页”上注明具体再版日期。

唐才良先生在《试析》一文中提出异议说：“如果说它俩都是‘勘误定稿前之样书’，而样书一般只有二三本，至多三五本。那么，数十年岁月沧桑，人间几经劫难，尤其经历‘文革’之后，竟在不同的地方，还能发现了两本‘校样’，太奇迹了。这真是大海能捞针，但出现这种奇迹的概率实在太小。”

对于样书一般“三五本”之说固然不错，如果明白“外校”多则要经过三校的程序，那么，有十五本之多的校对样书存世就不足为怪了。前面说过，委印方事先可以提出增加校对样书的数量要求，那么，负责“初版本”“校对勘误”的黄景华先生向大东书局提出用于校对的样书数量究竟是多少，则不为人知了。记得当年，我在中华印刷厂当打样工的时候，出版社负责《关良画册》（具体书名已不记得，画册内容是关良所画的戏剧人物）印制的人，向我提出多做十本样书的要求，照相制版工段的几个好友也让我多做数本以收藏玩赏，这本画册的样书做了五十多本。在印刷厂，打样工多做样书是常事，尤其是如《马骀画宝》（至今我还藏着）之类的影印版图书，多做一二十本根本不足为怪。

至于“尤其经历‘文革’之后，竟在不同的地方，还能发现了两本‘校样’，太奇迹了……”的疑问，其实也很正常，“校对样书”中因为缺失蒋介石题词，因此容易躲过一劫。今日所能见到为数不多的“初版本”，不也正是因为收藏者撕了蒋介石题词页才得以留存吗？

随着文化收藏热的升温，唐宋以后的各种珍稀善本不时浮出水面，进入交易市场，就像上海的地震概率很小，但也已经发生了数次一样，“小概率”成为大可能已经不算稀罕。“初版本”出版发行时间仅八十年，况且，杨家当时都在上海，该书也是在上海大东书局印制的，因此，能在上海出现两本“校对样书”，也谈不上是什么“奇迹”。笔者于2011年7月在吉林延吉购得乾隆年间张志聪集注的《黄帝内经》刻本，这应该不算“奇迹”；笔者于2010年9月28日和2011年9月29日分别购得“李藏本”和“邵藏本”也应该不算什么

"奇迹"，不可思议的倒是这两个藏本差点在不同年份的同月同日得到，从爱好和收藏的角度来看，仅是用心加运气而已。

2. "版权页"中"印刷者"从无到有的异变之剖析

若要解开"初版本"是否印过两次之谜，除了在"勘误表"上入手之外，"版权页"上的"印刷者"一项应该也是解谜的关键，这里还是要依托当时的历史背景来做论证。

20 世纪 30 年代初，上海印刷业处在崛起时期，中华书局、大东书局、世界书局及其他的印刷厂在 1912 年后相继成立，上海印刷业开始兴旺。到 20—30 年代，大批出版机构开业，同时，像一些在日后较有影响的印刷机构如美成印刷厂、艺文印刷局、徐胜记、三一、华一、中西、大业、天一、华胜印刷公司等也纷纷创办，上海印刷业进入第一个鼎盛时期。

大东书局于 1916 年由吕子泉、王幼堂、沈骏声、王均卿合资创办，资本 3 万元。书局成立时的规模小于商务印书馆和中华书局，有员工 300 余人，是当时上海少数能同时印制书刊、商务用纸品和印花税证、钞票的印刷厂之一。门市部初设在福州路昼锦里口，后移至福州路 110 号。印刷所先后设在蒙古路森康里和北西藏路公益里。1924 年改组为股份有限公司，资本增至 10 万元。1931 年总店迁到福州路山东路口 310 号。后日本发动侵华战争，1932 年，在"一·二八"事变中，地处闸北的商务印书馆的印刷总厂、美成印刷厂等均毁于日军炮火，上海印刷业由此开始接连遭到严重破坏，此后一直处于转移搬迁等动荡不安的萧条境地。而在此时，大东书局的资本却增至 60 万元，印刷所也一再迁徙，1933 年曾设址牯岭路 101 号，1934 年又迁到北福建路2号，并先后合并了上海大东橡皮印刷公司、别美彩色照相制版公司、龙飞印刷公司等，逐步发展成为铅印、胶印、凹印、制版和装订几大工段齐全的全能印刷厂。

当时，许多印刷机构在印刷设备迁移后，由于地平或调试等问题而引起运转不稳定的状况经常发生，因此，把未能继续完成的印单转让给其他印刷厂继续完成也是常有之事。“初版本”的印制，正是处于大东书局一再搬迁的时候。可以假设，正是由于频繁搬迁，或搬迁后机械设备尚未调试到位，而未能最后确定能否在本厂完成对“初版本”的印刷时，大东书局才在版权页中不署印刷者名，直至最后确定能在自家完成印制后，再排上印刷者的名称，这应该不失为最为适当且合理的解释。

在“版权页”中必须记载印刷所之名称，这在国民政府公布的第一部《出版法》的第三章第十六条中已经十分明确，这也是世界各国一直沿用至今的出版专律。因此，缺少“印刷者”的书籍在任何国家、任何年代都是违反有关法令法规的。那么缺少“印刷者大东书局”，也没有蒋中正题词做“保护伞”的“初版本”之所谓的“第一次印刷”是否还会面世呢？回答是否定的，因此，“初版本”根本不存在“两次印刷”的可能。

3. “版权页”中校者的异变之剖析

从“校对样书”的“版权页”上来看，“校者”为“永嘉郑曼青”（见图16），而在“正式印品”的“版权页”上，“校者”却为“吴江黄景华”。“永嘉郑曼青”则用红色印泥把铅字加盖在“著者”与“校者”行距中间（见图17），郑曼青在这个“加座”上，为著者乎？为校者乎？尚是不明。

这里值得注意的是，“初版本”中“著作人”的称谓性质较为模糊。其中“校者”，并非是校对者之意，而是指对草稿作整理、校正、编写的郑曼青先生，按照现在的说法即称为“助编”或“整理”。“版权页”上的“著者”实为“资料提供者和口述者”杨澄甫先生，这与杨振基的《杨澄甫式太极拳》口述者为杨振基、整理者为严翰秀同一道理。

吴文翰先生在《太极拳书目考》第 40 页记载：“1932 年，永嘉郑曼青拜杨澄甫为师学习太极拳。郑曼青……是一位江南才子，复助杨澄甫写《太极拳体用全书》”；金仁霖老师在《我所知道的〈太极拳使用法〉和〈太极拳体用全书〉的编写经过》一文中记载：“杨澄甫老师又把《太极拳体用全书第一集》的编写定稿任务交给了郑曼青先生”的时间是“一九三二年二月十日……大年初五”。康戈武先生在《杨澄甫定型架的意义和给我们的启示》一文中记载：“1934 年整理出版《太极拳体用全书》的郑曼青……精通诗、书、画、拳、医，世称‘五绝大师’；徐忆中先生在《诗书画医拳五绝名世，中华太极苑一代奇才》（《太极》杂志 2000 年第 4 期）中记载：郑曼青“承蒙师父厚爱，与同门匡克明先生替杨师撰写了杨氏太极拳世传名著《太极拳体用全书》。”路迪民先生在《杨式太极拳三谱汇真》第 275 页记载：“1932 年，由郑公主笔，在《太极拳使用法》的基础上为杨澄甫先师整理《太极拳体用全书》。”

根据上述各师所述，无论是“编写”“整理”“复助”或“撰写”，并没有提及黄景华先生。郑曼青先生在“校对样书”“版权页”上的身份为“校者”（实为“整理”）是符合所有记载的。

不过，瞿世镜先生在《一家》中，多处提及黄景华先生在“初版本”印制过程中参与了许多重要的工作，比如：“由澄甫公口授，曼青师伯与景华师笔录，写成《太极拳体用全书》。”（见《一家》第53页）；“《体用全书》不但由曼青师伯与景华师二人笔录，到大东书局校对勘误等杂务均有景华师奔走代劳。”（见《一家》第60页）；“《体用全书》署名‘作者杨澄甫，校者黄景华’，均为墨色印刷，第二作者郑曼青当属漏排，刻一枚印章，用红色印泥盖章，如此署名，既显示不分辈分，又令杨、郑两人均感满意。”（见《一家》第107页）；“郑师伯遂与景华师轮流担当相手与笔录。最后全书由郑师伯统稿，由景华师校对。”（见《一家》第106页）；“先师曾协同郑曼青师伯为澄甫公口述之《体用全书第一集》担任笔录及校对。”（见《一家》第118页）；“大东书局送来之样书错误百出……将曼青师伯大名遗漏，不得不用红色印泥为其加盖印章。”（见《一家》第119页）；等等。

瞿世镜先生在《一家》中叙述的所知所闻，也是来自其师黄景华先生本人之口。笔者认为：前人记忆的叙述有正确错误之分，情绪有好恶贬褒之别，因此无疑会产生偏差。有些史实，师父在徒弟面前有过头之言应该可以理解，如“景华师曰：‘杨公弟子不少，为其代笔编书者，仅陈微明、董英杰、郑曼青、黄景华四人而已。’”（见《一家》第63页）至于此言是出自黄景华先生之口，还是瞿世镜先生听后失言，我们不得而知，也没必要刨根问底。弟子把先生之言欲述之于文、公布于世时，则须谨慎，在史实问题上尤其如此。下面，笔者对瞿世镜先生的“记载”提出一些质疑：

(1) 郑曼青在“初版本”“郑序”中提到该书“乃与同门匡克

明，共请于澄师”而为；在《十三篇》的“郑序”中又写道：“此盖由余与同门匡克明之请，于二十三年五月，得以刊行。其时余之所得尚肤浅，不知有裨乎人类，若是其大也。”为什么郑曼青在两篇序文中都只提到仅仅是“共请”的匡克明，而未提到与之共“笔录”、同“校对”的黄景华先生呢？

(2) 众所周知，“初版本”是在《太极拳使用法》的基础上进行再编辑的，内容较之《太极拳使用法》是有减无增，除了杨澄甫先生的“自序”和“例言”较之《太极拳使用法》稍有调整之外，其余内容均为整理编辑之劳。吴文翰先生在《太极拳书目考》第40页记载：“初版本”“仍用《太极拳使用法》书中的拳照、演练与使用的内容，与《太极拳使用法》无太大区别，只是在文字上多有润色，使之更具条理”。金仁霖老师在《我所知道的〈太极拳使用法〉和〈太极拳体用全书〉的编写经过》一文中记载：“由于郑曼青先生有了《使用法》的前车之鉴，所以他在改定《体用全书》的稿子时，真是小心翼翼，唯恐有失。因而拳架动作、用法说明等等，基本上都是依照了《使用法》里的文字，纠正了一些错漏，理顺了一些语句和内容，并没有作任意的变动。”均未提及“郑师伯遂与景华师轮流担当相手与笔录”之事。

(3) 既然瞿世镜先生一再认为“初版本”是“由曼青师伯与景华师二人笔录”，并且，在“版权页”中印刷的黄景华名字之清晰度远胜于加盖的郑曼青，那么，李雅轩先生在对“初版本”的眉批中，为什么仅仅提到郑曼青，而无涉及黄景华呢？

(4) 瞿世镜先生在《一家》中说：“初版本”“最后全书由郑师伯统稿，由景华师校对”。如果说“校对样书”的“版权页”上，郑曼青与黄景华同列在“校者”栏下，那么，按照现在的看法，在正式印刷前版子有所遗漏，还能勉强说得通，问题是，原来排版的铅字盘要换文字必须手工换铅字，而并非现在的电脑文本，如果按错键，文字说丢就丢。而为什么“做事细心”的黄景华先生会把郑曼青三字“校对”成黄景华自己的名字了呢？

(5) 瞿世镜先生在《一家》中说：“大东书局送来之样书错误百出……将曼青师伯大名遗漏”。“校对样书”中“校者郑曼青”正确无误，用“校对样书”同“正式印品”作个比较，除了“勘误表”增加了勘误条例，“版权页”上增加了“印刷者大东书局”的信息增补之外，唯一的错误就是把“郑曼青”掉包成了“黄景华”而已，此明明为“错误一出”，何来“百出”呢？

(6) 瞿世镜先生在《一家》中说：“……第二作者郑曼青当属漏排，刻一枚印章，用红色印泥盖章，如此署名，既显示不分辈分，又令杨、郑两人均感满意。”这里且不问郑曼青先生作为助编，何来“第二作者”之称，“刻一枚印章”也是误传误言。我们只需把“永嘉郑曼青”的加盖红色字款和边上的印刷字款相比较就会看出，这是印刷厂用字号字款相应大小的中宋体铅字缠扎后，蘸红色印泥在“著”与“校”之间的行距中作了加盖，此法实属无奈之举。二水居士在《一段由〈太极拳体用全书〉初版本而引发的公案》（下面简称《公案》）一文中做了如下记载：在2010年11月5日至11月11日于台北举行的“第八届杨式太极拳第五代名家论坛暨郑曼青110岁诞辰纪念会”上，傅清泉先生在发言中说：“初版本”“书出来后，杨澄甫老师发现此书的‘版权页’上，只印‘校者吴江黄景华’，没有署‘永嘉郑曼青’之名，杨澄甫老师十分生气”。

如果当时在纠错时，直接把铅字覆盖在黄景华名字上，也许就没有今天的口舌之争了。那么，盖印者又是谁呢？二水居士在《公案》一文中做了如下记载：在会上，瞿世镜先生就遗漏“永嘉郑曼青”之事，发言做了补充：“遗漏‘永嘉郑曼青’，确实是出版社的疏忽，刻制‘永嘉郑曼青’图章及每册加盖图章，则都是黄景华所为。”此说的真实性待考。

4. 杨澄甫在“版权页”上签章不是谜

黄建成先生谈到他藏本的“版权页”时，作过如下猜想：“如果《太极拳体用全书第一集》真的有两个版本的话，显然是有人在第一次印刷时欺世盗名将自己名字印上，令杨澄甫老师不满而作第二次的印刷，恢复校者郑曼青的名字。而杨师更谨慎其事，在更正的书末页上，盖上他的印盖，以辨真伪。”

笔者不妨先来说说“版权页”上的签章之事。尽管在20世纪二三十年代已经有《著作权法》和《出版法》出台，但很多作者为了保护版权，以防盗印，也相应采取了一些措施，如在“版权页”上存留有著作权印花或著作者的印章“以辨真伪”。比如，1904年出版的《英文汉诂》，“版权页”上盖有严复的印章；鲁迅先生许多著译的“版权页”上也有盖有“鲁迅”二字的白文印章。就拿武学著作来说，陈微明在1925年出版《太极拳术》和1928年出版的《太极剑》的“版权页”上都盖有“慎先”朱文印章；1933年出版的李先五的《太极拳》的“版权页”上盖有“李先五”朱文印章；马永胜1931年出版的《新太极拳书》和1935年出版的《新太极剑书》的“版权页”上都盖有“马永胜”朱文印章；1930年出版的吴志青的《少林正宗练步拳》的“版权页”上盖有“志青”白文印章等等。凡此例子比比皆是，应该不足为怪，因此，杨澄甫先生在“初版本”“版权页”上盖章，也并非是为了“恢复校者郑曼青的名字……以辨真伪”之举。

余言

《太极拳体用全书》是杨澄甫太极拳的重要著述，但是涉及编写印制情况的资料却不多，而论及印制过程的资料几乎为零。2000 年，《上海武术》杂志和台湾的《太极学报》分别刊登了金仁霖老师撰写的《我所知道的〈太极拳使用法〉和〈太极拳体用全书〉的编写过程——为〈太极拳体用全书〉正名》一文；2004 年，《武魂》杂志第 1 期刊登了吴文翰老师撰写的《杨澄甫式〈太极拳使用法〉和〈太极拳体用全书〉》一文。在这两位前辈的专题文章中，我们也没有见到《太极拳体用全书》有过两次印刷的叙述，更没有见到针对所存在两种“版权页”、两种“勘误表”，以及题词者的多少所产生的任何质疑。

上述出现一个版本、两种版式的现状，对于当时作为承印者的大东书局和委印方的杨家来说，应该是个事出有因的轶事，即使没有大故事可言，也有小内情可说。但无论是杨家当事人，或杨家后人，或杨家传人，却从来就没把它当作一件是非之事来谈及，也没记载进武学著作里。因此可以说明，当时从《太极拳体用全书》的整理编辑、交付印制、内外校对、到成书、发行、销售等方面的过程皆属正常而无须言之。因此，现在所提出的“二次印刷”“内部发行”的等等说法，都是缺乏说服力的猜测而不具备科学性。黄建成与笔者的两个藏本无论从印刷之形式、版本之发生还是校勘之程序、版次之递进等多个角度来看，皆具备了“校对样书”的所有特征。如果这两个藏本真是符合当时出版法规的第一次印刷的初版本，同时具备了完整的“版权页”，那么现在也轮不到我们熬夜苦思而撰写所谓的“考证”“辨析”“试析”“辩证”等文章来探讨、质疑了。

当时杨家及杨家弟子对“版权页”中“校者”名字所发生的替换缄口不谈，想不到在67年以后，瞿世镜先生在《杨氏太极是一家》中，把其师黄景华先生推到了前台，加上黄建成和本人的藏本相继出现，对“版权页”上“校者”名字发生变异的不正常情况的讨论也公开于世。笔者认为，揭开“校者”名字变异的原因，为郑曼青先生正名，是探究《太极拳体用全书》的重要所在。

笔者偶得《太极拳体用全书》的两种版本期间，陆续在网上发表过几篇关于版本论述的文章，其中有些观点因认识不足而产生判断上的偏差，日后尽管在思路上逐渐得以清晰，在条理上也逐渐得以分明，但已无暇再作修正。就如杨澄甫先生在“自序”中所言：“且翻阅十数年前之功架，又复不及近日，于此见斯术之无止境也。”这也说明，对事物认识过程的递进，同样“无止境也”。此次借着《太极拳体用全书》影印出版的机会，把观点重新梳理后成文，欲盼明者不吝指教。

邵奇青

2015年7月2日于上海西区爱博山截堂

太極拳體用全書第一集

錢名山署

尚山

郜奇青得於

六〇二年九月廿九日

可以禦侮可以衛生願以此
有百利而無一害之國粹
為四百兆同胞之典型
楊澄甫先生太極拳體用全集
秦元恪題

自強不息

張人傑題

真美善
楊澄甫先生太極拳體用全書
李煜瀛題

國術精華

楊澄甫先生著

太極拳體用全書

吴鐵城

寓剛于柔

張乃燕題

楊澄甫先生太極拳體用全書題詞

廣平楊澄甫先生著太極拳體用全書殺青有日屬愚為之序愚於斯道覬望門牆偶有涉獵初無是處於斯而欲有言是何殊持布鼓過雷門執蹇驢向伯樂也特先生以弘道之切救世之殷闡太極拳體用真詮嘉惠學人蘄傳藻思有足多者揄揚宣贊未敢稍辭用敷末意祇貢蕪章頌未足以彰大雅也辭曰

廣平楊子　抱璞守真　精研技擊　太極鴻鈞
太極无極　兩儀相因　絪緼交感　萬緒舒申
剛柔互濟　易道敷陳　楊子造詣　譬如北辰
振衰起弱　致國維新　殷殷祖訓　端在健身
新傳勵學　變化出神　式如淵海　浩淼無垠
闡揚體用　嘉惠學人　俾正所視　趨於大純
弘宣濟世　疇與等倫　一篇既出　寶筏迷津
中華民國二十二年十一月　朱慶瀾

後學楷式

張鷹生題

民族精神

龐炳勳

尚武精神

國勢凌弱至今已極非尚武不足以圖存澄甫先生以太極拳噪於時偶一演練靡不震驚其沈着重於泰山其輕靈矯如飛鳥倘能人懷此技自強國強種而有餘輩不自秘以餉當世甚望有志之士於武術三致意焉

耿毅

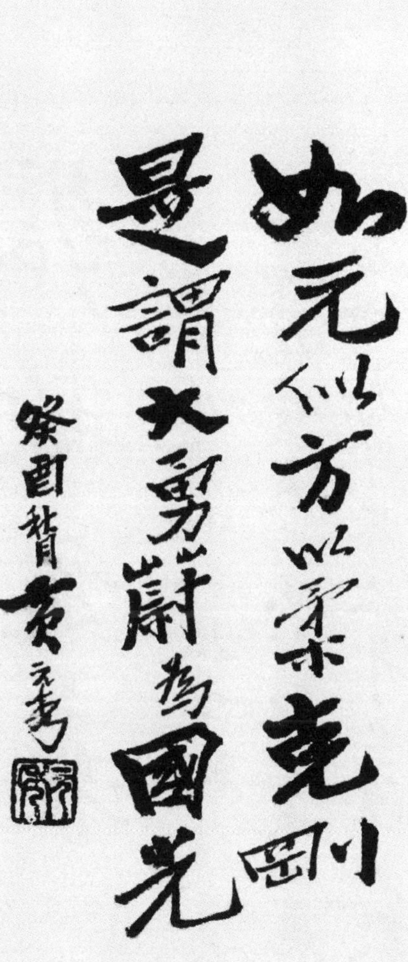
如元似方以柔克刚
是谓大勇蔚为国光

振敝起衰

澄甫先生累世精技擊研練日久尤入神化意氣所至肘腋生風洵屬武當嫡派拳界泰斗也謹泐數語藉志欽仰

李屏翰

健侯老先生遺像

少侯大先生遗像

著者

張眞人傳

眞人遼東懿州人。姓張。名全一。又名君實。字元元。號三峯。史稱宋末時人。生有異質。龜形鶴骨。大耳圓目。身高七尺。修髯如戟。項作一髻。常戴偃月冠。一笠一衲。寒暑禦之。不飾邊幅，人皆目爲張邋遢。所啖升斗輒盡。或避穀數月自若。書過目不忘。游處無恆。或云一日千里。洪武初。至蜀太和山。結庵玉虛宮。自行修鍊。洪武二十七年。復入湖北武當山。與鄉人論經典。亹亹不倦。一日在室讀經。有鵲在庭。其鳴如諍論。眞人由窗視之。鵲在樹。注目下睹。地上有一長蛇。蟠結仰顧。少頃。鵲鳴聲上下。展翅相擊。長蛇探首微閃躲過鵲翅。鵲自下復上。俄時性燥。又飛下翅擊。蛇亦蜿蜒輕身閃過。仍作盤形。如是多次。眞人出。鵲飛蛇走。眞人由此悟。以柔克剛之理。因按太極變化。而成太極拳。動靜消長。通於易理。故傳之久遠。而功効愈著。北平白雲觀。現存有眞人聖像。可供瞻仰云。

鄭序

天下唯至剛乃能制至柔。亦唯至柔乃能制至剛。易曰。剛柔相摩。八卦相盪。書曰。沈潛剛克。高明柔克。詩曰。剛亦不茹。柔亦不吐。然則剛柔之用。理無二致。何老氏獨言天下之至柔。馳騁天下之至堅。又曰柔弱勝剛彊。余甚疑之。宋末有張眞人三峯者。創爲太極柔拳之術。所謂有氣則無力。無氣則純剛。異哉言乎。以視老氏之說。其理更不同。余尤惑焉。何則。不用力固已柔矣。未聞有不用氣也。若不用氣。何復有力。而至於純剛乎。癸亥。岳任北京美術專門學校教授。有同事劉庸臣者。擅斯術。以岳體羸弱。勉之學習。甫逾月。輙罷事輟。未得其趣。庚午春。岳因創辦中國文藝學院。操勞過度。甚至咯血。因復與同事趙仲博。葉大密。研習斯術。不一月。病霍然。而身體遂日見强健。於是昕夕研求。鍥而不舍。兩年之間。與有力十倍於我者較。則數勝矣。始信柔之足以勝剛。然未知有不用氣之妙也。壬申正月。岳在濮公秋丞家。得晤楊師澄甫。秋翁介岳。執贄於門。承澄師之教導。口授內功。始知有不用氣之義矣。不用氣。則我處順。而人處逆。唯順則柔。柔之所以克剛者漸也。剛之所以克柔者驟也。驟者易見。故易敗。漸者難覺。故常勝。不用氣者。柔之至也。惟至柔故能成至剛。余至是遂恍然大悟。於眞人與老氏之說。大易摩盪之訓，究竟一理。雖然。岳猶恐聞吾言者。亦如岳昔日之滋惑。其將何以釋而證之。乃與同門匡克明。共請於澄師曰。曩者師法相承。悉憑口授指示。未有專書。與其懷寶以秘其傳。何如筆之於書以傳後世。澄師曰然。爰將體用之妙法。盡啟其橐籥。攝圖列說。縷析條分。幷及劍法槍法等。各有運斤成風之妙。編述成書。分爲二集。世之欲攝生養性者。手各一編。瞭如指掌。非僅可以釋疑解惑而已。自强强國之術。其在斯乎。其在斯乎。癸酉閏端陽。永嘉鄭岳謹序。

自序

余幼時。見先大父祿禪公。率諸父及諸從遊者。日從事於太極拳。或單練。或對習。昕夕不輟。心竊疑之。以爲是一人敵。項籍所不屑學者。余他日當學萬人敵。稍長先伯父班侯公。命余從之學。於是向之所疑者。不復能隱。則直陳之。先大夫健侯公怒斥之曰。惡。是何言。汝大父以此世吾家。若乃欲墜箕裘歟。先大父亟止之曰。此不能折服孺子也。以手撫余曰。居。吾語汝。吾之習此而教人者。非以敵人。乃以衛身。非以用世。乃以救國。今之君子。祇知國之弊在貧。而未知國之病在弱也。是故謀國是者。競講救貧之策。未聞有振衰起頹之圖。惟其通國皆病夫。誰復勝此重任。積弱斯貧。貧實原於弱也。攷各國之致强。莫不强民爲初步。歐美之雄偉英挺無論矣。卽島國侏儒。亦孰非短小而精悍。以吾國人之鳩形鵠面當之。勝負之決。庸待蓍龜。然則救國之道。自當以救弱爲急務。舍此不圖。抑亦末矣。余自幼卽以救弱爲己任。嘗見實解者。其精神體魄。固不遜於外人所謂大力士武士道者。余大喜叩其術。秘不以告。乃知中國自有强身之術。而一弱至此。豈無故哉。嗣聞豫中陳家溝陳氏有內家拳之名。躡蹻往從陳師長興學。雖不見拒於門墻之外。

然日居月諸。迄未許窺堂奧。忍心耐守。凡十餘稔。師憫余誠。始於月明人靜時。舉箇中妙諦。以授余。學成來京師。欲本素志。廣授於人。未幾。見從吾學者。瘠者肥。羸者腴。而病者健。乃大喜。顧以一人之所授有限。則如愚公之移山。更以諸若父叔輩。暨諸從遊者。若志在用世。寧鄙視救世之術。而不學乎。余於是。始恍然於先大父之孳孳斯術。且以世吾家者。蓋有在也。遂欣然請受教。先大父更詔之曰。太極拳創自宋末張三丰。傳之者。爲王宗岳。陳州同。張松溪。蔣發諸人相承不絕。陳長師。乃蔣先生發唯一之弟子。其術本於自然。而爲形不離太極。爲式十三。而運用靡窮。運動身體。而感及心靈。故非習之既久。驟難得其奧妙。從吾學者。不乏其人。而爐火純青之候。雖班侯猶未易言也。然就強身而論。則一日有一日之益。一年有一年之効。孺子知之。其有以宏吾志。余謹識之不敢忘。自是而後。鍥而不舍者。閱二十寒暑。而先大父。先伯父。及先大夫。先後捐館。余始則授徒舊都。嗣以局促一隅。爲効褊頗。更南走江淮閩浙間。復囑陳生微明。以余口授者。刊爲一書。歷十餘年。而太極拳之風行。自河南北。及於江左右。甚且粤水之濱。習之者亦大有其人矣。顧陳子之書。僅述單人練習之程序。且翻閱十數年前之功架。又復不及近日。於此見斯術之無止境也。今因諸生之請。復繼續將體用之全法。編次成集。基本練法。及推手大擺。一一附以最近圖影。付諸梨棗。以公於世。劍法及槍戟刀等。擬爲第二集續刻。非敢以術自鳴。竊欲宏先人振人救世之志云爾。

中華民國二十二年春廣平澄甫楊兆清

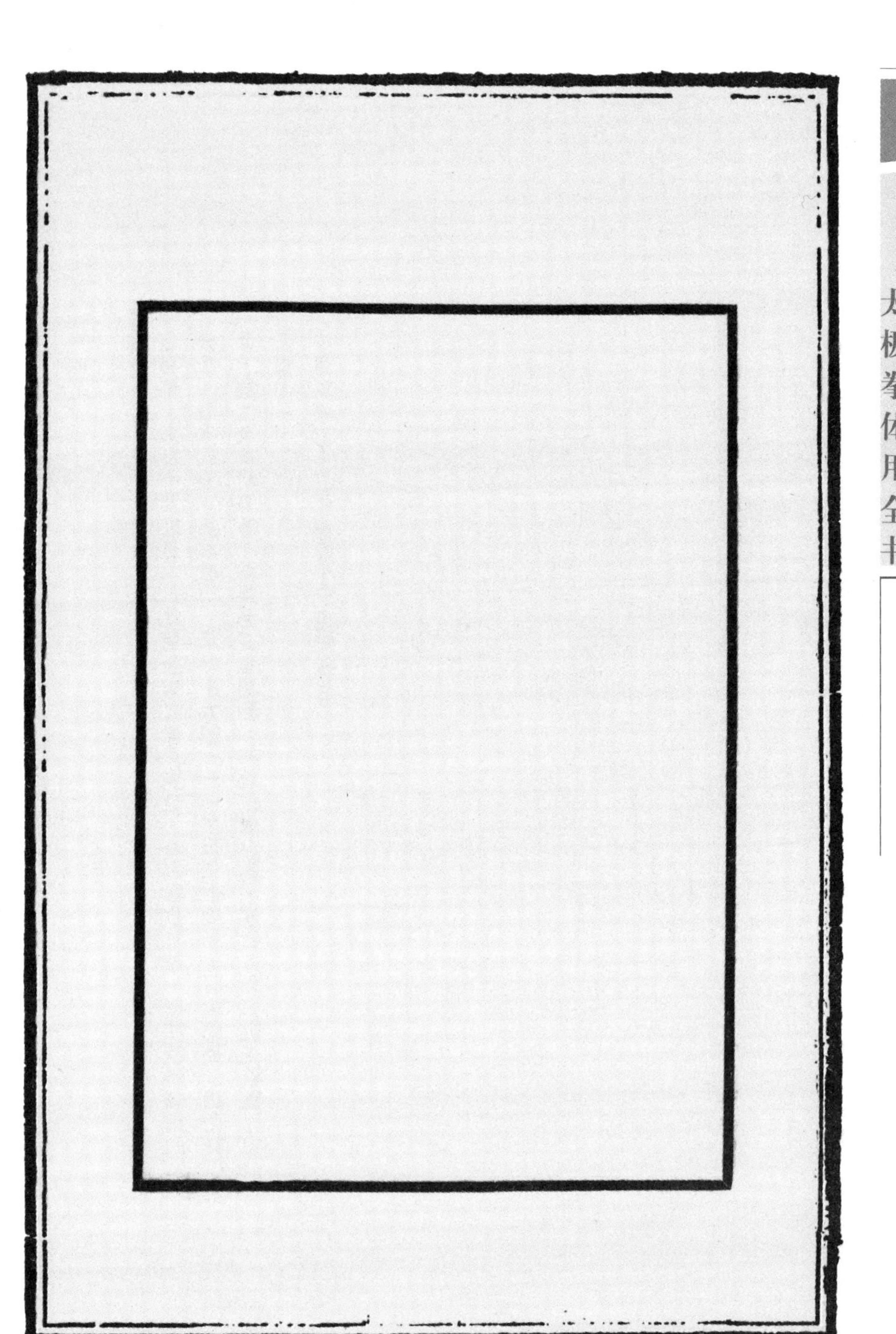

例言

一、本書編著之要旨。在乎體用兼備。世之學太極拳者。日見繁多。未明體用之法。殊鮮心身之益。故特不珍弊帚以千金。冀得造極登峯之多士。自強之旨。竊願與國人共勉之。

一、太極拳本易之太極八卦。曰理。曰氣。曰象。以演成。孔子所謂範圍天地之化而不過。豈能出於理氣象乎。惟理氣象乃太極拳之所胚胎也。三者得能兼備。而體用全矣。然象則取法太極八卦。氣則不出於陰陽剛柔。理則主宰變易不易。以窮其化。學者尤其先求其象。以養其氣。久之自然能得其理矣。

一、太極拳之主體。貴在動靜有常。故練時舉步之高低。伸手之疾徐。運動之輕重。進退之伸縮。氣息之宏細。顧盼之左右上下。腰項背腹之俯仰。須知各有常度。不可忽高忽低。忽疾忽徐。忽輕忽重。忽伸忽縮。忽宏忽細。忽左右上下俯仰之不勻也。惟步之高低。手之疾徐。如能得有常度。則亦不必拘其高低疾徐之有一定法則也。

一、太極拳要點。凡十有三。曰沈肩垂肘。含胸拔背。氣沈丹田。虛靈頂勁。鬆腰胯。分虛實。上下相隨。用意不用力。內外相合。意氣相連。動中求靜。動靜合一。式式均勻。此十三點。凡一動作。皆要注意。不可無一式中。而無此十三要點之觀念。缺一不可。學者希留意參合也。

一、本書之用法。爲已熟練太極拳者。進一步而言也。故方向不必拘定。則四正四隅皆可試用。如未熟練拳法者。不可躐等而習用法。恐素無根柢。終少成效。初學者。希細閱上圖之單人功架。久嫻體法。則用法不難而得也。

一、太極拳祇有一派。無二法門、不可自眩聰明。妄加增損。前賢成法。倘有可移易之處。自元明迄今。已數百年。如有可改之處。昔人亦已先我行之矣。烏待吾輩乎。願後之學者。弗惟外之是驚。而惟內之是求。欲進精醇。期日可待。要之拳式細目。非取形似。必求意合。惟恐私心妄改。以誤傳誤。易失體用之眞傳。以致湮沒昔賢之本意。玆照舊本校正。以垂爲正範。

一、太極拳。非專爲與有力者鬭狠而作。蓋三峯眞人。創造柔拳。以資助道體之用。世之有願衛身養性。却病延年者。無論騷人墨客。羸弱病夫。以至老幼男人。皆可學習。有恆者。三歲有成。若問其用，則在不用力。而却不畏有力也。

倘有大力者。來擊我。以吾之至柔。自足以制勝者。蓋順其勢而取之也。衞身養性之要。亦曰順而守其弱也可。不然雖有勇力如賁育者。亦非太極拳家之所取也。

一、初學此拳式者。萬不可貪多。每日僅熟練一二式。則易窺其底蘊。多者僅得其皮毛耳。練畢弗卽坐。須稍散步數圈。以調暢其氣血。

一、炎夏練畢。弗用涼水盥手。恐其鬱火。嚴冬練罷。宜速著衣。以免受涼。功夫宜寒暑增加。所謂夏練三伏。冬練三九。比春秋日勝。晨甫起床。及夜將就睡。兩時萬不可間斷。則功夫易見有成也。

一、太極劍及槍刀戟等。當陸續刊行。以供同好，

太極拳體用全書

太極拳起勢

此爲太極拳預備動作之姿勢。立定時。頭宜正直。意含頂勁。眼向前平視。含胸拔背。不可前俯後仰。沈肩垂肘。兩手指尖向前。掌心向下。鬆腰胯。兩足直踏。平行分開。距離與肩相齊。尤要精神內固。氣沉丹田。一任自然。不可牽強。守我之靜。以待人之動。則內外合一。體用兼全。人皆於此勢易爲忽略。殊不知練法用法。俱根本於此。望學者曾當於此注意焉。

第一節

攬雀尾掤法

攬雀尾爲太極拳體用兼全之總手。卽推手所謂黏連貼隨。往復不離不斷。遂以雀尾比喻手臂。故總名之曰。攬雀尾。其法有四。曰掤攦擠按。

第二節

掤法。由起勢。設敵人對面用左手擊我胸部。我將右足卽向右側分闢坐實。隨起左足往前蹈出一步。屈膝坐實。後腿伸直。遂爲左實右虛同時將左手提起至胸前。手心向內。肘尖略垂。卽以我之腕貼在彼之肘腕中間。用橫勁向前往上掤去。不可露呆板平直之像。則彼之力既爲我移動。彼之部位亦自不穩矣。

攬雀尾攦法

由前勢。設敵人用左手擊我側肋部。我卽將右足向右前正面蹈出。屈膝蹈實。左脚變虛。身亦同時向右面轉。眼隨往下看。左右手同時圓轉。往右前出動。右手在前。手心側向裏。左手在後。手心側向內。轉至右手心向下。左手心向上時。速將我右肘腕間。側貼彼肘節上。側仰左腕。以腕背粘彼之腕背臂上。向左外側。全身坐在左腿。左脚實。右脚虛。此時敵如進攻。我卽內向胸前。左側攦來。則彼之根力拔起。身亦隨之傾斜矣。

第三節

攬雀尾擠法

由前勢。設敵人往回抽其臂。我即屈右膝。右脚實。左腿伸直。伸腰長往。隨之前進。眼神亦直前往上送去。同時速將右手腕向外翻出。左手心貼我右之腕臂間。向前往。乘其抽臂之際。隨出擠之。則敵必應手而跌矣。

第四節

第五節

攬雀尾按法

由前勢。設敵人乘勢從左側來擠。我即將兩腕。從左側往上用提勁。空其擠力。手指向上。手心向前。沉肩垂肘。坐腕。含胸。全身坐於左腿。速用兩手心按其肘及腕部。向前逼按去。屈右膝。坐實。伸左腿腰亦同時往前進攻。眼神隨動往前從上逬去。則敵人即後仰跌出矣。

第六節

單鞭

由前勢。設敵人從身後來擊。我卽將重身移在左脚。右脚尖翹起。向左側轉動坐實。左右手平肩提起。手心向下。一致隨腰。左右往復盪動。以稱轉動之勢。兩手盪至左方時。乃將右手五指合攏。下垂作吊字式。此時左掌暫駐腰間。與吊手相抱。手心朝上右足就原位。向左後轉動翻身向後。左足提起。偏左踏出。屈膝坐實。右腿伸直。同時轉腰。左手向裏。由面前經過。往左伸出一掌。手心朝外。鬆腰胯。向敵之胸部逼去。沈肩。垂肘，坐腕。眼神隨之前往。俱要同一時動作。則敵人未有不應手而倒。

第七節

提手上式

由前勢。設敵人自右側來擊。我卽將身由左向右側回轉。左足隨向右側移轉。右足提起向前進步。脚跟點地。脚尖虛懸。全身坐在左腿上。胸含背拔。鬆腰眼前視。同時將兩手互相往裏提合。是爲一合勁。右手在前。左手在後。兩手心左右相向。兩腕提至與敵人之肘腕相啣接時。須含蓄其勢。以待敵人之變。或卽時將右手心反向上。用左手掌合於我右腕上擠出亦可。身法步法。與擠亦有相通處。

白鶴晾翅

由前勢。設敵人從我身左側。用雙手來擊。我速將右脚收回。卽提起直前蹈出。稍屈坐實。身隨右脚同時轉向左方正面。左脚移至右脚前。脚尖點地。左手心同時合於右手肘裏。沈下至腹時。右手隨沈隨起。提擭至右頭角上展開。右手心向上側。左手急往下。從左側向下展開至左胯旁。手心向下。則彼之力卽分散而不整矣。

第八節

左摟膝抝步

由前勢。設敵從我左側中下二部。用手或足來擊。我將身往下一沉。實力暫寄於右腿。左足卽提起向前踏出一步。屈膝坐實。右足亦隨之伸直。左手同時轉上至右胸前向左外往下。將敵人之手或足摟開。右手同時仰手心垂下。直往後右側輪轉旋上至耳旁。張掌。手心朝前。沉肩墜肘。坐腕鬆腰前進。眼神亦隨之前往。向敵人之胸部按去。身手各部須合成一勁。意亦揚長前往。便爲得力。

第九節

手揮琵琶式

由前勢。設敵人用右手來擊我胸部。我即含胸。屈右膝坐實。左腳隨稍往後提。腳跟着地。收蓄其氣勢。右手同時往後收合。緣彼腕下繞過。即以我之腕黏貼彼之腕

第十節

。隨用右手擒合其腕內部。往右側下採捺之。左手亦同時由左前往上收合。以我之掌腕。黏貼彼之肘部作抱琵琶狀。此時能立定重身。左捌右採。蓄我之勢。以觀其變。故謂之手揮琵琶也。

第十一節

左摟膝抝步

此式與上第九節用法說明同

第十二節

右摟膝抝步

此式亦與上第九節。動作用法說明同。惟將左右動作一更易便是。故不贅。可參閱上節自能領會。

第十三節

左摟膝抝步

用法與說明同上

第十四節

左摟膝抝步

用法說明同上

第十五節

手揮琵琶式

同上第十節

進步搬攔捶

出前式。設敵人用右手來擊。我卽將左足微向左側分開。腰隨往左扭轉。左手卽往後翻轉至左耳邊。手心向下。右手俯腕。隨轉至左脇間。握拳。翻腕向右轉腰。右拳隨之旋轉至右脇下。此謂之搬。同時提起右脚側右踏實。鬆腰胯沈下。左手卽從左額角旁側掌平向前擊。謂之攔。左足同時提起踏出一步。坐實。右足伸直。右手拳卽隨腰腿一致向前打出。然此拳之妙用。全在化人擊來之右拳。先以我之右手腕。黏彼之右手腕。從左脇上搬至右脇下。其時。恐敵人抽臂換步。卽將左手直前隨步追去。寓有開勁。攔其右手時。卽速將我右拳。向敵胸前擊去。則敵不遑避。必爲我所中。此拳之妙用。所以全在搬攔之合法也。

第十六節

如封似閉

由前式。設敵人以左手握我右拳。我卽仰左手穿過右肘下。以手心緣肘護臂。向敵左手腕格去。如敵欲換手按來。我卽將右拳伸開。向懷內抽析。至兩手心朝裏斜交。如成一斜交十字封條形。使敵手不得進。猶如盜來卽閉戶。此謂之如封之意也。同時含胸坐胯。隨卽分開。變爲兩手心向敵肘腕按住。使不得走化。又不得分開。此謂之如閉。如閉其門不得開也。隨急用長勁。照按式按去。眼前看。腰進攻。左腿屈膝坐實。右腿隨胯伸直。合一勁。向敵擊去。此爲合法。

第十七節

十字手

由前式。設有敵人。由右側自上打下。我急將右臂。自右向上大展分開。身亦同時向右轉。左脚與右脚合。兩手由上分開。復從下相合。結成一十字形。全身坐在左脚。右脚即提起。向左收回半步。兩脚直踏。如起式。此一開一合勁也。際我用開勁分敵之手時。正恐敵先我乘虛由我胸部襲擊。故我即結兩手成一合勁。其時手心朝裏。將敵之臂部棚住。如敵變雙手按來。我即用雙手將敵手由內往左右分開。手心朝上。或向下均可。惟結成十字手時。同時腰膝稍鬆。往下一沉。則敵所向之力。即自散失不整矣。

第十八節

抱虎歸山

由前式。設敵人向我右側。後身逼近擊來。未遑辨別其用手。或用脚時。急轉腰分開兩手。踏出右步。屈膝坐實。左腿伸直。右手隨腰向右方敵人腰間摟去。復抱回。左手亦急隨之往前按。故右手先用覆腕摟去。旋用仰掌收回。如作抱虎式。倘敵人手脚甚快。未能爲我抱住。但僅爲我摟開。或按出。則彼復換左手擊來。我卽用攌勢擸回。故下附攬雀尾三式

第十九節

攌擠按同上。

一 抱虎歸山攦式

二 抱虎歸山擠式

三 抱虎歸山按式

肘底看捶

由前勢。如敵人自後方來擊。我卽轉身。其動作如上單鞭轉身式。可參用。迨身將翻轉正面時。左脚直向正面踏實。右脚卽偏向右前。踏出半步。坐實時。則左脚提起。脚尖翹起。兩手平肩。同時隨身向左轉。此時卽用左手腕外平接敵人右手腕。向右推開。至其失却中定時。卽將左手指下垂。緣彼腕間。向內纏繞一小圈。右手同時向左。與其左手相接。自上黏合。則彼之左右手都處背境。而失其所向。我卽將左腕。抑其右腕。右手急握拳。轉至左肘底。虎口朝上。以宿其勢。向機而發。未有不應聲而倒。此之謂肘底看捶也。

第二十節

倒攆猴

由前式。設有敵人用右手。緊握我左手腕。或小臂間。倘又以左手托住我肘底拳。則我先受其制。不得施展。時卽翻仰左掌。用沈勁鬆腰胯。向左後縮回。左脚亦退後一步。屈膝坐實。右脚變虛。則敵之握力頓失。右手同時向後分開。至其失却握力時。急向前按去。此式雖然倒退一步。仍可攆去敵勁。故謂之倒攆猴。其要尤在鬆肩沈氣也。

第二十一節

倒攆猴

附左右倒攆猴同一意。其身法步法。及姿勢皆相似。練法退三步。五步。七步。均可。但以右手在前爲止。

第二十二節

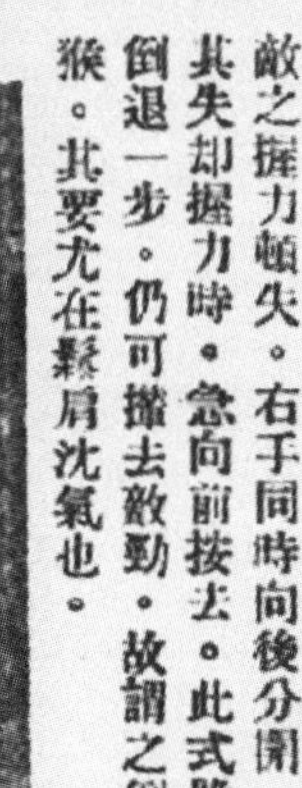

第二十三節

斜飛勢

由前式。如敵人自右側。向我上部打來。或用力壓我右臂腕。我卽乘勢往下沉合著勁。隨卽將右手向右上角分展。用開勁斜擊。同時踏出右步。屈膝坐實。似成一斜飛式。其用意亦須稱其勢也。

第二十四節

提手同上第七節

第二十五節

白鶴晾翅同上第八節

第二十六節

摟膝拗步同上第九節

海底針

由前式。設敵人用右手牽住我右腕。我即屈右肘坐右脚。轉腰提回。手心向左。脚亦隨之收回。脚尖點地。如敵仍未撤手。更欲乘勢襲我。我即將右腕順勢鬆動。折腰往下一沉。眼神前看。指尖下垂。其意如探海底之針。此時雖欲採欲戳。皆往復成一直力。不意爲我一挫。則其根力自斷。便可乘虛進擊也。

第二十七節

扇通背

由前勢。設敵人又用右手來擊。我急將右手由前往上提起。至右額角旁。隨將手心

第二十八節

向外翻。以托敵右手之勁。左手同時提至胸前。用手掌冲開。直勁向敵脇部衝去。沉肩墜肘。坐腕。鬆腰。左脚同時向前踏出。屈膝坐實。脚尖朝前。眼神隨左手前看。右腿隨腰胯伸勁送去。其勁正由背發。兩臂展開。欲扇通其背。則所向無敵矣。

第二十九節

撤身捶之二

撤身捶

由前式。設敵人自身後脊背。或脅間用手打來。我即將左足向右偏移轉坐實。右足變虛。腰隨轉向正面。右手同時即握拳。暫於左脇腋間一駐。左手心朝上合護左額角。即時右拳由上闌轉撤去。交敵之手由右脇側間用沉勁壓住。同時左手由左側。急向敵人面部擊去。則敵必眼花失措矣。

第三十節

進步搬攔捶用法同上第十六節

第三十一節

第三十二節

單鞭同上第六節

上步攬雀尾

攌擠按。參閱第三節。第四節及第五節。

雲手

由前勢。設敵人自前右側用右手擊我胸部。或脅部。我卽將右手落下。手心向裏。卽以我之腕上側。與敵之腕下相接。由左而上。往右旋轉。復翻下向左行。劃一大圓圈。如雲行空綿綿不絕。左手同隨落下。手心向下。隨往下向上翻出。與右手用意同。身亦隨右手扚轉。眼神亦隨手腕看去。旋轉照應。右足往右側往左移動半步坐實。左足亦卽向左踏出一步。成一騎馬式。此時兩手上下正行至胸膀相對。則右脚又變虛。向左移入半步。則續行第二式。惟變化虛實交互旋轉時。萬不可露有凹凸斷續之意。此式之妙用。全在轉腰胯。然後可以牽動敵之根力。應手翻出。學者其細悟之。

第三十三節

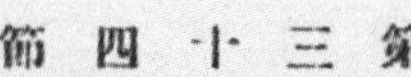
第三十四節

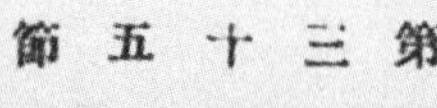
第三十五節

單鞭

同上第六節。

高探馬

由單鞭式。設敵用左手。自我左腕下繞過。往右挑撥。我隨將左手腕略鬆動。手心朝上，將敵腕疊住。往懷內探回。如上圖。左脚同時提回。脚尖着地。鬆腰含胸。右膝稍屈坐實。同時急將右手由後而上圓轉向前。往敵人面部。用掌探去。眼前看。脊背略彎有探拔前進之意。

右分脚攦式　第三十六節

右分脚

由前勢。設敵人用左手。接我採出之右腕。我隨用右手腕。壓住敵之左肘。垂肘沉肩。即將敵左臂向左側攦回。同時左手粘住敵人左腕。手心向下暗施採勁。左脚同時向前左側邁去半步。坐實。腰向左斜倚。隨將右脚提起。脚尖與脚背。平直向敵人左脅踢去。同時兩手掌側立。向右左平肩分開。以稱分脚之勢。眼亦隨右手看去。含胸拔背。定力自足。則敵勢不能自支矣。

第三十七節

左分脚攙式

一 左分脚

與上右式同一用法。惟左右稍自移易便是。

第三十八節

轉身蹬脚

由左分脚式。設敵人自身後用右手打來。我卽將身向左正方轉動。含胸拔背。鬆腰

尤須虛靈頂勁。左腿懸提。隨腰轉時。脚尖垂下。右脚立定時。左脚卽向敵腹部用脚跟蹬去。脚指朝上。兩手隨腰轉動時。由外往內合。隨左脚蹬出時。掌卽向左右側立。平肩分開。眼神隨左指尖望去。立定根力。則敵必應腿自仰矣。

第三十九節

左摟膝同上

第四十節

右摟膝同上

第四十一節

進步栽捶

由前式。設敵又用左腿踢來。我卽用右手順敵腿勢由左摟去。則敵必往左仆。我卽將左足同時向前一步追去。屈膝坐實。右手隨握拳。向敵腰間或腳脛捶去皆可。是爲栽捶。其時右腿伸直。腰胯沉下成平曲形式。胸含。眼前看。尤須守我中土爲要。

第四十二節

翻身撇身捶

出前勢。設又有敵人自身後用拳擊來。我即將身由右往後翻轉。左脚坐實。右腿向前提起踏出半步。右拳同時提起。向後正面撇去。拳背向下沉。或將敵肘疊住。或暗用採勁皆可。左手同時隨右拳。向敵面部用掌捌去。以助右拳撇勢。身須隨即進步。

第四十三節

第四十四節

進步搬攔捶

同上第十六節

右蹬脚

由前勢。設敵人用左手將我右臂向左推出。此時將我右腕順勢由敵人手腕下纏繞。自右往左捌開。兩手分開與脚相稱。腰胯沈下。眼神隨往前看。同時將右脚向正面蹬出。左脚尖同時向左稍轉。坐實。身亦往隨左轉入正面。

左打虎式

由前式。設敵人由左前方。用左手打來。我將右足落下。與左足並齊左右手隨向左側轉。左脚往後踏出。屈膝坐實。右足變爲虛。略成斜騎馬襠式。面向側正方。兩手同時變拳隨落隨往左合。即用右拳將敵左腕拖住。往左側下採。至與心部相對。左拳由左外翻上。轉至左額角旁。手心向外。急向敵人頭部。或背部打去。此式以退爲進。忽開忽合。意含凶猛。故謂打虎式也。

第四十五節

第四十六節

第四十七節

右打虎式

由前式。設敵人自後右側。用右手打來。我卽將右足提起。向右側邁去。屈膝坐實。略成右騎馬式。腰隨之往右側前方扣轉。左腿變虛。兩拳同時隨往右圓轉。成右打虎式。與左同一用法。希參用之。

囘身右蹬脚

與第四十四節同。左右方向稍自移易可也。

雙風貫耳

由前勢。設敵人自右側。用雙手打來。我即將左脚尖稍向右移轉立定。右脚同時向右側懸轉。膝上提。脚尖垂下。身同時隨轉至左正隅角。速將兩手背由上往下。將敵人兩腕往左右分開擱住。隨將兩手握拳由下往上。向敵人雙耳用虎口相對貫去右脚同時向前落下變實。身亦略有進攻之意方可。

第四十八節

左蹬脚

由前式。設有敵人自左側脅部來擊。我急用左手將敵右手臂粘住。由裏往外掤開。右足在原地向右微有移動。左足同時往前提起。向敵脅腹部蹬去。餘與轉身蹬脚同。

第四十九節

轉身蹬脚

接前式。如有敵人從背後左側打來。我急將身往右後正面旋轉。左脚同時隨身轉時收回往右懸轉。落下坐實。脚尖向前。此時右脚尖爲一身轉動之樞機。兩手合收隨身至正面時。急用右手腕。將敵肘腕粘住。自上而下。向左捌出。右脚同時提起。向敵脅腹部蹬去。左右手隨往前後分開。

第五十節

第五十一節　第五十二節

第五十三節

進步搬攔捶　同上第十六節

十字手　同上第十八節

如封如閉　同上第十七節

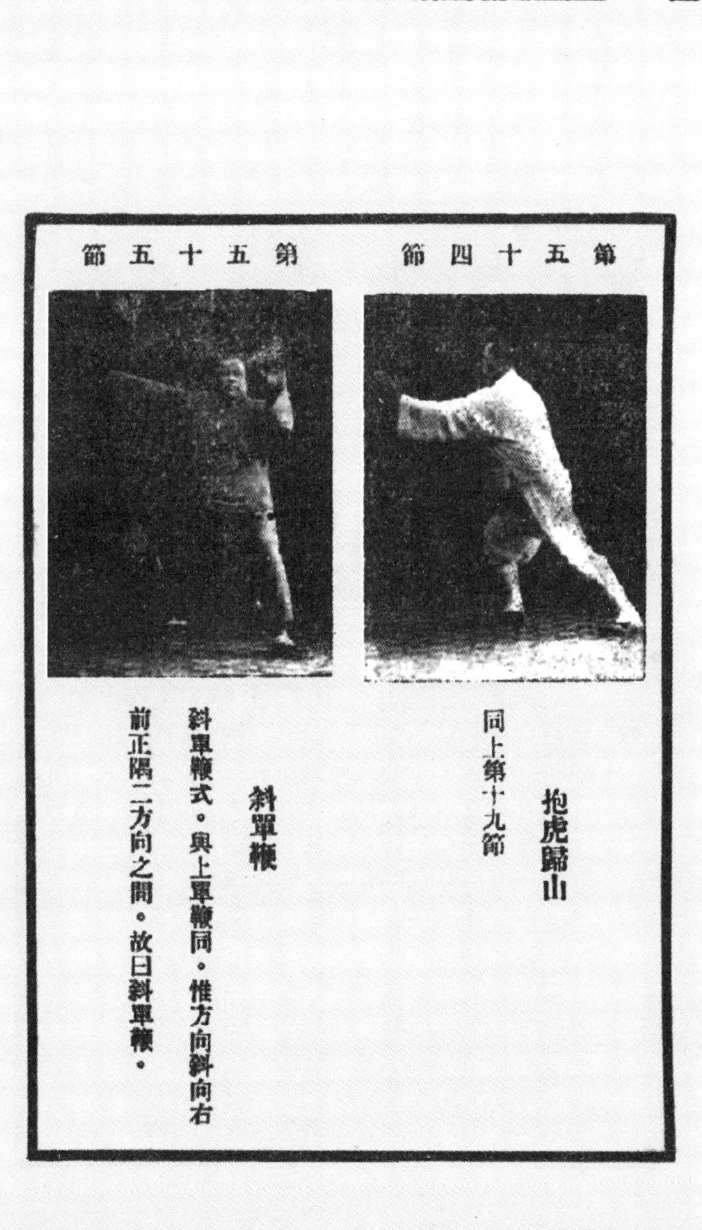

第五十四節

抱虎歸山

同上第十九節

第五十五節

斜單鞭

斜單鞭式。與上單鞭同。惟方向斜向右前正隅二方向之間。故曰斜單鞭。

野馬分鬃右式

由前式。設敵人自右側。用按式按來。我卽將身向右轉。左足亦向右移動。右足脚跟鬆開。脚尖虛點地。隨用右手將敵左右腕黏住。略往左側一鬆。用左手挒其右手腕。同時急上右足。屈膝坐實。左足伸直。隨用右小臂向敵腋下分去。則其根力爲我拔起。身卽向後傾仰矣。此時左手亦須稍從後分開。用沉勁以稱右手之勢。

第五十六節

第五十七節

野馬分鬃左式

用意與右式同。方向稍自改易。

第五十八節

攬雀尾同上

第五十九節

單鞭同上

第六十節

玉女穿梭

由單鞭式。設敵人從後右側。用右手自上打下。我即將身隨左脚同向右方翻轉。右脚隨即提回。落在左脚前。脚尖側向右分開坐實。左手收回。合於右手腕下。隨即護繞右大臂。穿過右肘。即用掤勁。向左前隅角上翻去。將敵之手腕掤起。左脚同時前進。屈膝坐實。右脚伸直。右手即變爲掌。急從左肘下穿出。衝向敵之胸肋部擊去。未有不跌。此式左右手相穿。忽隱忽現。捉摸不定。襲乘其虛。故曰玉女穿梭。以喻其勢之巧捷也。

第六十一節

玉女穿梭二

接前式。如敵人由身後右側。用右手劈頭打來。我即將左脚往裏稍轉。右脚同時向後右側踏出一步。屈膝坐實。身隨向後往右扭轉。左脚變虛。急用右腕由敵右臂外粘住。往上右側掤起。隨將左手向敵右肩按去。餘同上式。

第六十二節

玉女穿梭三

接前式。如敵從左側用左手劈來。我即將右脚尖稍向右分開坐實。左脚提向左隅角踏出坐實。手法與上第一式同。

第六十三節

第六十四節

玉女穿梭四

此式與上第二式同。惟玉女穿梭之方向。正式在四隅角。萬不可錯誤也。

單鞭式

同上第六節

第六十五節

攬雀尾同上

第六十六節

雲手

說明與用法同上

第六十七節

單鞭同上

單鞭下勢

單鞭下勢

由單鞭已出之左手時。如敵人以右手將我左手往外推去。或用力握住。我即將右腿稍向右分開。往後坐下。左手同時用圓活勁收回胸前。或敵用左手來擊。我急用左手將敵左腕拖住。往左側下採亦可。右腿與腰胯同時坐下。以牽彼之力。而蓄我之氣。

金雞獨立右式

由上式。如敵人往回拽其力。我即順勢將身向前上撐起。右腿隨之提起。用足尖向敵腹部踢去。右手隨之前進。屈肘。指尖朝上。以閉敵人之左手。此時左腳變實。蹬立。右手隨進時。或牽制敵人左右手亦可。不必拘執。

第六十八節

第六十九節

金雞獨立左式

由右式。設敵人用右拳打來。我右手沉下。速起左手托敵肘。提左腿。與右式同。

第七十節

倒攆猴同上第二十一二十二兩節

第七十一節

斜飛式

用法同上第二十三節。

第七十二節 提手 同上第七節

第七十三節 白鶴晾翅 同上第八節

第七十四節 摟膝抝步 同上第九節

第七十五節 海底針 同上第二十七節

第七十六節 扇通背 同上第二十八節

第七十七節 轉身白蛇吐信之一

第七十八節　白蛇吐信

轉身白蛇吐信

此式略與撇身捶同。惟第二式變掌用法。惟在手掌加沉勁耳。

攬雀尾同上

第七十九節

搬攔捶

同上第三十節

第八十節　單鞭式同上

第八十一節　雲手同上

第八十二節　單鞭同上

第八十三節

第八十四節

高探馬帶穿掌

同上第三十五節可參閱。惟右手探出後。即收回。手心朝下。左手稍提起穿掌向敵喉間衝去。右手仍藏在左肘下。以應變。

十字腿

由前式。設敵人用右手牽住我之右手時。我即將右手抽開。至左手腕下。隨將左掌向敵胸部衝去。成十字手形。其時設有敵自身後右邊用右手橫打來。我急將身向右正面扭轉。左臂同時翻上屈回。與右臂上下相抱時。急將左右手向前後分開攔住敵手。同時急將右腿提起。用腳跟向敵右脅部蹬去。則敵必應腿躍出矣。

進步指襠捶

接前式。如敵人往回撤手時。我即將右足落下。同時左足前進。屈膝坐實。在此時設敵人再用右足自下踢來。我急用左手。將敵右足往左膝外摟開。左手隨即握拳向敵襠部指去。身微向前俯。

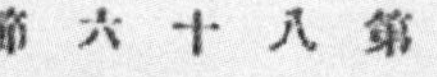

上步攬雀尾同上

第八十七節

單鞭
同上第六十七節

單鞭下勢同上

第八十八節

上步七星

由前式。設敵人用右手自上劈下。我即將身向左前進。兩手變拳。同時集合交叉。作七字形。手心朝外掤住。向敵胸部用拳直擊亦可。

退步跨虎

由前式。設敵人用雙手按來。我卽將兩腕粘在敵之兩腕裏。左手往左側下方捌開。右手往右側上方黏起。兩手心隨向外翻，右脚隨往後退一步。落下坐實。腰隨往下沉勁。左足隨之提起。脚尖點地。遂成跨虎形。使敵全身之力皆落空。此時則敵雖猛如虎。略一轉動。使受我制矣。

第八十九節

轉身擺蓮

由前勢。設又有敵人。自我身後用右手打來。前後應敵於萬急時。我卽將右脚就原地。向右後方懸起左脚隨身旋轉。同時以兩手及左腿用旋風勢。以手脚向敵上下部刮去。復轉至原位時。緊將敵右肘腕粘住。隨繞敵之腕裏。往左用擸帶捌抽回。急用右脚背向敵胸爲部。用橫勁踢去。脚過似疾風擺盪蓮葉。所謂柔腰百折在無骨。撒去滿身都是手。此功之奧妙。非淺學者所可領略也。

第九十節

第九十一節

第九十二節

彎弓射虎

由前式。設敵人往回撤身時。我卽將左右手隨敵之手粘去。復繞過敵之手腕間。向右側旋轉。握拳從左隅角擊去。左手同時沉在敵右肘部擊去。右腿隨往右落下坐實。右手轍向敵胸部擊去。皆要蓄其勢。腰下沉勁。略如騎馬襠式。左脚變虛。如成射虎彎弓之勢也。

進步搬攔捶

同上第十六節

第九十三節

第九十四節

如封似閉

同上第十七節

合太極式

由如封似閉。變十字手。兩手分左右下垂。手心向下與起勢式同。是名合太極。此爲一套拳終了之時。學者尤不可忽略。合太極者。合兩儀。四象。八卦。六十四卦。而仍歸於太極。即收其心意氣息。復全歸於丹田。凝神靜慮。知止有定。不可散失。以免貽笑於大方也。

推手

太極拳以練習推手爲致用。學推手則卽是學覺勁。有覺勁則懂勁便不難矣。故總論所謂由懂勁而階及神明。此言卽根於推手無疑矣。

一掤式

下圖掤。攌。擠。按。四式。卽黏。連。貼。隨。舍己從人之定步推手。此圖卽兆清與大兒振銘合攝。

掤法向外。駕禦敵人之按手。使不得按至胸腹貼近。故曰掤。此掤字取意。與說文釋義稍異。掤之方式。如圖。左右同其用法。最忌板滯。又忌遲重。板者。不知自己之運動。滯者。不知敵人之取舍。既不知己。又不知彼。則不成其爲推手矣。遲重者。必以力禦人。使成死手。非太極家之所取也。必曰掤者。黏也非抗也。手巨外掤。意欲黏回。又不使己之掤手與胸部貼近。得化勁全賴轉腰。一轉腰則我之掤勢已成矣。

攦者。連着彼之肘與腕。不抗不採。因彼伸臂襲我。我順其勢而取之。是收回意謂之攦。此字義又與說文不同。乃拳術家之專用名詞也。其方式。即攦法轉腰加上一手連着彼之肘節間。如上圖。被攦者須本舍己從人。亦須知有舍人從己之處。被攦覺其手加重。便可乘之以靠。或覺其攦勁。忽有斷續。則急舍其一邊。而襲以擠可也。

二攦式

擠者。正與擺式相反。擺則誘彼敵之按勁。使其進而入我陷阱而取之。必勝矣。設我之動力。先爲彼所覺。則彼進勁必中斷。而變爲他式。則我之擺勢失效。則不可不反退爲進。用前手側採其肘。提起後手。加在前手小臂內便乘勢擠出。則彼於倉卒變化之中。未有不失其機勢。而被我擠出矣。被擠者須於變化中能鎮定。有先覺。急空其擠勁。則便成其按勢矣。

三擠式

四按式

按者。因擠式不得其機勢。便將右手。緣彼敵之左肘外廉轉。上仍成攦式攦同。如攦又不得勢。則翻右手。以手心按彼左肘節上抽出。左手又以手心按彼左腕上。是謂之按。按之轉復爲掤。掤攦擠按。終而復始。輪轉不息。此謂練習黏連貼隨之意也。

以上四式。變化無窮。筆難縷述。望學者幸細心運會。於單人功架上之說明。詳爲參悟便易入門也。

大攦式圖解

第一節

掤式。甲爲掤。乙爲按。

第二節

攦式。甲左手爲採。右爲截。合其式爲挒。乙爲靠。

第三節

採式。甲左採而變爲閃。右仍爲切截。乙以左肘摺住。

第四節

擠式。甲擠而爲靠。乙復變爲採挒也。與第二節。姿勢同。

右四式互相推轉。周而復始。其切要處。正在換步之靈妙耳。其神化。却非筆墨所能樣述。須口授指點。方能盡其變。玆按圖解釋。其步法手法如下。

大攦四隅推手解

四隅推手者。卽大攦之方位。向四隅角轉換。與合步推手之四正方向不同。合步推手與大攦一幷謂之四正四隅。此卽八卦之方位。所謂乾巽坎離。震兌艮坤。在推手中。卽所謂攦挒擠按。採挒肘靠。大攦起式兩人向南北或東西對立。作雙搭手式。甲照第一節圖式。是以掤勁化乙之按勁。走左肘。翻左腕。握乙之右腕是爲採。右手不動卽爲切截。一變便爲挒。挒者卽撇開乙之左肘。向乙領際以掌斜擊去。其步法卽以第一圖前脚實而變虛。稍向前移進。後脚變實。前脚虛。如第二圖。卽攦式之變用。甲爲採。乙爲靠。卽如第二節。至第三圖。爲採閃式。甲放棄左手採勁。而變爲閃。閃者以掌向乙面部作伺擊狀。步法皆未動。卽如第三節。待乙起左手。退左脚與右脚一並。急復將左脚又向左隅角後退却一步。翻身後脚坐實。復以右手攦甲左手。以左手採甲右手時。甲卽隨乙之第一步退却時。甲卽沿左一步。將左後後脚提與前脚暫並。卽乙復進第二步時。甲急移右脚向右前隅角進一步。卽急將左脚插進乙之襠中。卽加以右肩貼近乙之左臂靠去。是爲進者三步。退者二步。中間有一步須兩脚並齊之後換步上去而成第四節。卽如第四圖。第四圖與第二圖姿勢同。甲乙攻守勢一更易也。一再輪轉。繼續推下。與第三圖換步同。故不再贅。四隅卽依次轉去便是。此爲大攦之採挒肘靠。四手已具矣。惟此四手無一手非用法。手手皆可發勁。希學者幸細心按圖揣摩。自有會心之處也。

太極拳論

一舉動周身俱要輕靈。尤須貫串。氣宜鼓盪。神宜內斂。無使有缺陷處。無使有凸凹處。無使有斷續處。其根在脚。發於腿，主宰於腰。形於手指。由脚而腿而腰。總須完整一氣。向前退後。乃能得機得勢。有不得機得勢處。身便散亂。其病必於腰腿求之。上下前後左右皆然。凡此皆是意。不在外面。有上卽有下。有前則有後。有左則有右。如意要向上。卽寓下意。若將物掀起而加以挫之之力。斯其根自斷。乃壞之速而無疑。虛實宜分淸楚。一處有一處虛實。處處總此一虛實。周身節節貫串。無令絲毫間斷耳。

長拳者。如長江大海。滔滔不絕也。掤攦擠按採挒肘靠。此八卦也。進步退步左顧右盼中定。此五行也。掤攦擠按。卽乾坤坎離四正方也。採挒肘靠。卽巽震兌艮。四斜角也。進退顧盼定。卽金木水火土也。合之則爲十三勢也。

原注云。此係武當山張三峯祖師遺論。欲天下豪傑延年益壽。不徒作技藝之末也。

明王宗岳太極拳論

太極者無極而生。陰陽之母也。動之則分。靜之則合。無過不及。隨曲就伸。人剛我柔謂之走。我順人背謂之黏。動急則急應。動緩則緩隨。雖變化萬端。而理爲一貫。由着熟而漸悟懂勁。由懂勁而階及神明。然非功力之久。不能豁然貫通焉。虛靈頂勁。氣沈丹田。不偏不倚。忽隱忽現。左重則左虛。右重則右杳。仰之則彌高。俯之則彌深。進之則愈長。退之則愈促。一羽不能加。蠅蟲不能落。人不知我，我獨知人。英雄所向無敵。蓋皆由此而及也。斯技旁門甚多。雖勢有區別。槪不外乎壯欺弱。慢讓快耳。有力打無力。手慢讓手快。是皆先天自然之能。非關學力而有爲也。察四兩撥千斤之句。顯非力勝。觀耄耋能禦衆之形。快何能爲。立如平準。活似車輪。偏沈則隨。雙重則滯。每見數年純功。不能運化者。率自爲人制。雙重之病未悟耳。欲避此病。須知陰陽相濟。方爲懂勁。懂勁後。愈練愈精。默識揣摩。漸至從心所欲。本是捨己從人。多悟舍近求遠。所謂差之毫釐。謬以千里。學者不可不詳辨焉。是爲論。

十三勢行功心解

以心行氣。務令沉着。乃能收斂入骨。以氣運身。務令順遂。乃能便利從心。精神能提得起。則無遲重之虞。所謂頂頭懸也。意氣須換得靈。乃有圓活之趣。所謂變轉虛實也。發勁須沉着鬆淨。專主一方。立身須中正安舒。支撑八面，行氣如九曲珠。無往不利。（氣遍身軀之謂）運勁如百煉鋼。無堅不摧。形如搏兔之鵠。神如捕鼠之貓。靜如山岳。動如江河。蓄勁如開弓。發勁如放箭。曲中求直。蓄而後發。力由脊發。步隨身換。收卽是放。斷而復連。往復須有摺疊。進退須有轉換。極柔軟。然後極堅剛。能呼吸。然後能靈活。氣以直養而無害。勁以曲蓄而有餘。心爲令。氣爲旗。腰爲纛。先求開展。後求緊湊。乃可臻於縝密矣。

又曰。彼不動。已不動。彼微動。已先動。勁似鬆非鬆。將展未展。勁斷意不斷。

又曰。先在心。後在身。腹鬆氣沈入骨。神舒體靜。刻刻在心。切記一動無有不動。一靜無有不靜。牽動往來氣貼背。而斂入脊骨。內固精神。外示安逸。邁步如貓行。運勁如抽絲。全身意在精神。不在氣。在氣則滯。有氣者無力。無氣者純剛。氣若車輪。腰如車軸。

十三勢歌

十三勢來莫輕視。命意源頭在要際。變轉虛實須留意。氣遍身軀不少滯。靜中觸動動猶靜。因敵變化示神奇。勢勢存心揆用意。得來不覺費功夫。刻刻留心在腰間。腹內鬆淨氣騰然。尾閭中正神貫頂。滿身輕利頂頭懸。仔細留心向推求。屈伸開合聽自由。入門引路須口授。功夫無息法自修。若言體用何為準。意氣君來骨肉臣。想推用意終何在。益壽延年不老春。歌兮歌兮百四十。字字真切義無遺。若不向此推求去。枉費工夫貽歎息。

打手歌

掤攦擠按須認真。上下相隨人難進。任他巨力來打吾。牽動四兩撥千斤。引進落空合即出。沾連貼隨不丟頂。

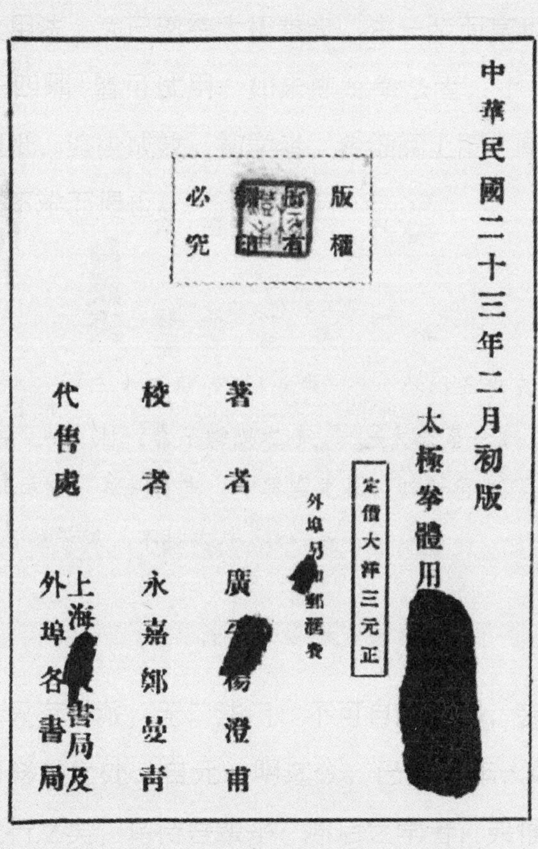

中華民國二十三年二月初版

太極拳體用[illegible]

定價大洋三元正

外埠另加郵滙費

著者 廣[illegible]楊澄甫

校者 永嘉鄭曼青

代售處 上海[illegible]書局及
外埠各書局

勘誤表

頁數	行數	字數	正	誤
三四	一五	一一	左	右
三四	一五	一七	右	左
三六	四	四	動	來
三六	一一	二二	來	掤
三四	七	二六	左	右

太極拳體用全書第一集

錢名山署

尚山

可以御侮，可以卫生。愿以此有百利而无一害之国粹，为四百兆同胞之典型。

杨澄甫先生太极拳体用全集

蔡元培[①]题

注释

① 蔡元培（1868—1940 年），绍兴山阴人，原籍诸暨，字鹤卿，又字仲申、民友、子民，并曾化名蔡振、周子余。革命家、教育家、政治家。中华民国首任教育总长，1916 年至 1927 年任北京大学校长。

自强不息

张人杰[①]题

注释

① 张人杰（1877—1950 年），国民党四大元老之一。祖籍安徽徽州(今歙县)，后移籍浙江吴兴，字静江。历任浙江省临时政府主席、国民党特别委员会委员、全国建设委员会主席等职。后因疾脱离政界。抗战爆发后，出国游历，死于纽约。

真善美

杨澄甫先生太极拳体用全书

李煜瀛[1]题

注释

① 李煜瀛（1881年5月29日—1973年9月30日），国民党四大元老之一。字石曾，笔名真民，晚年自号扩武，河北高阳人。清同治年间军机大臣李鸿藻第三子。中国教育家。1924年，任办理清室善后委员会委员长，并筹建故宫博物院。从1924年起，先后出任国立北京大学教授、北平大学校长、北平研究院院长等职务。1956年定居台北。1973年9月30日病逝。

国术精华

杨澄甫先生著太极拳体用全书

吴铁城[1]

注释

① 吴铁城（1888—1953年），国民党政要，陆军中将。字铁城，广东香山人，生于江西九江。曾任国民党临时中央执行委员、国民党第三届中央执委、国民政府立法委员、国民党中央秘书长、最高国防委员、国民政府立法院副院长、行政院副院长兼外交部长等职。1949年10月赴香港，后转去台湾。1953年11月19日在台北病逝，享年65岁。

寓刚于柔

张乃燕[1]题

注 释

① 张乃燕（1894—1958 年），民国才子，字君谋。1912 年加入中国国民党，1919 年冬在上海复旦大学教授物理学。1920 年至 1922 年任北京大学化学系教授。1925 年任上海光华大学教授。1927 年被任命为江苏省政府委员兼教育厅厅长，后兼任国立中央大学校长。1932 年 1 月调任建设委员会副委员长。1933 年 5 月，出任驻比利时王国特命全权公使，1935 年 5 月辞职回国，隐居上海。1958 年夏天因脑溢血逝世，享年 64 岁。

杨澄甫先生太极拳体用全书题词

广平杨澄甫先生著《太极拳体用全书》杀青有日，嘱愚为之序。愚于斯道觇望门墙[1]，偶有涉猎，初无是处于斯，而欲有言，是何殊?持布鼓过雷门[2]，执蹇驴向伯乐也[3]。特先生以弘道之切，救世之殷，阐太极拳体用真诠，嘉惠学人，薪传藻思[4]，有足多者[5]，揄扬宣赞[6]，未敢稍辞[7]。用敷末意[8]，只贡芜章顾未足[9]，以彰大雅也。辞曰：

注 释

① 愚于斯道觇望门墙：愚，谦辞，用于自称。斯，这个，这里指太极拳。觇望（chān wàng），窥视，观望。门墙，指师长之门，词出《论语·子

张》：“夫子之墙数仞，不得其门而入，不见宗庙之美，百官之富。”此句意为“我不精于太极拳这技艺，只能算是在老师门外观望罢了。”

②持布鼓过雷门：布鼓，布蒙的鼓。雷门，古代浙江会稽的城门名。在雷门前击布鼓，比喻在能手面前卖弄本领。

③执蹇驴向伯乐也：蹇，音 jiǎn，跛，行走困难，迟钝。蹇驴，跛蹇驽弱的驴子。此句意为牵着跛弱的驴子在伯乐面前卖弄。比喻在能手面前卖弄。

④藻思：做文章的才思。

⑤有足多者：有足够多的人。

⑥揄扬宣赞：弘扬，称赞。

⑦未敢稍辞：不敢推辞。

⑧用敷末意：敷，施加、给予。末意，琐碎的、意不达词的想法。此处为自谦之语。

⑨只贡芜章顾未足：贡，拿出。芜，杂乱。未足，不能涉及。谦指下面所作之辞。

广平杨子，抱璞[①]守真。精研技击，太极鸿钧[②]。
太极无极，两仪相因。细缊[③]交感，万绪舒申。
刚柔互济，易通敷陈。杨子造诣，譬如北辰[④]。

注释

①璞：纯真，淳朴。

②鸿钧：古代道教神话中人物，此处以“鸿钧”喻“大道”。

③细缊：音 yīn yūn，古同“氤氲”，指天地阴阳二气交互作用的状态。

④北辰：北极星。

振衰起弱，致国维新。殷殷祖训，端在健身。

薪传励学，变化出神。式如渊海，浩渺无垠。

阐扬体用，嘉惠学人。俾正所视，趣[①]于大纯。

弘宣济世[②]，畴与等伦[③]。一篇既出，宝筏迷津[④]。

中华民国二十二年十一月 朱庆澜[⑤]

注 释

① 趣：趋向。

② 弘宣济世：弘宣，弘扬传播。济世，济助世人。意为“发扬光大传益于世人”。

③ 畴与等伦：畴，范畴。等伦，与之同等。

④ 宝筏迷津：佛教用语。宝筏，比喻引导众生渡过苦海到达彼岸的佛法。迷津，找不到渡口、桥梁，迷失了道路，指迷妄的境界。清·赵翼《题王摩诘渡水罗汉图诗》：“我闻释氏妙变化，宝筏能引迷津断。”

⑤ 朱庆澜（1874—1941 年），字子桥、子樵、紫桥。绍兴钱清秦望村人。17 岁投东三省总督赵尔巽部下，1909 年随赵尔巽入川。辛亥革命中，四川独立，被推为四川大汉军政府副都督。1912 年后，先后担任黑龙江督署参谋长、临时总统军事顾问、广东省长、广东新军司令、东北特区行政长官兼中东铁路护路军总司令等职。1925 年后，长期从事慈善救济与抗日救亡事业。抗战以后，在陕西创立黄龙山垦区，收容难民达 5 万余人。1941 年 1 月，卒于西安灾童教养院。西安各界将其公葬于长安县杜曲乡东韦村，冯玉祥为之作碑文。

后学楷式

张厉生题[1]

注释

①张厉生（1901—1971年），字少武，原名维新，出生于河北乐亭三合庄村。北京朝阳大学法律专科毕业，后留学法国巴黎大学，主修社会学。曾任上海中山学院教授。后投身政界，为国民党CC系骨干人物。去台湾后，历任台湾“行政院”副院长、国民党中央委员会秘书长、台湾当局驻日本“大使”等职。1971年4月20日在台北病故。

民族精神

庞炳勋[1]

注释

①庞炳勋（1879年10月25日—1963年1月12日），字更陈，出生于河北省新河县南阳庄村。民国陆军中将加上将衔。1938年2月，参加台儿庄会战。1943年5月7日降日，1945年9月日本投降后，所部被国民政府收编，并委庞炳勋以先遣军司令。同年10月，不再担任军职，在开封闲居，1949年移居台湾，1963年1月12日死于台北，时年85岁。

尚武精神

国势凌弱至今已极，非尚武不足以图存[①]。澄甫先生以太极拳噪[②]于时，偶一演练，靡不震惊[③]。其沉着重于泰山，其轻灵矫如飞鸟。尚能人怀此技，自强国强种而有余。幸不自密，以饷[④]当世，甚望有志之士于武术三致意焉。

耿毅[⑤]

注释

① 图存：谋求生存。

② 噪：声名大噪之“噪”，由于名声高而引起人们的极大关注。

③ 靡不震惊：没有不为之震惊的。靡，无。

④ 饷：同“飨”。

⑤ 耿毅（1881—1960 年），河北任县南留寨人。1906 年毕业于北洋陆军速成武备学堂（即保定陆军军官学堂，1912 年 10 月改为保定陆军军官学校）。民国陆军中将、中华民国第一届监察委员。新中国成立后，历任河北省人民政府委员、文史馆馆长、河北省人民代表大会代表、政协河北省委员会常务委员、民革河北省副主委等职。1960 年病逝，享年 79 岁。

如元似方，以柔克刚。是谓大勇，蔚为国光。

癸酉[①]秋月黄元秀[②]

注 释

① 癸酉：即 1933 年。

② 黄元秀（1884—1954 年），原名凤之，字文叔，号山樵，中年以后改名元秀。浙江杭州人。从田兆麟先生习太极拳，与叶大密先生、孙存周先生义结金兰。竭力倡导建立浙江省国术馆，并担任董事一职。他兼收并蓄，分别向杨澄甫、杨少侯学习杨式大、小架太极拳，向李景林学习武当对手剑，并着手从事武术文献的编撰工作。出版了《武当剑法大要》《太极要义》《武术丛谈》《杨家太极拳各艺要义》等书。1954 年 2 月 19 日逝世，世寿 71 岁。

振敝起衰

澄甫先生累世[1]精技击，研练日久，尤入神化，意气所至，肘腋生风，洵[2]属武当嫡派，拳界泰斗也。仅沥数语，籍志钦仰。

李屏翰[3]

注 释

① 累世：历代，接连几代。

② 洵：副词。诚然，确实。

③ 李屏翰：履历不详。

健侯老先生遗像

少侯大先生遗像

著者

张真人传

真人辽东懿州人，姓张，名全一，又名君实，字元元，号三丰，史称宋末时人。生有异质，龟形鹤骨，大耳圆目，身高七尺，修髯如戟[1]。顶作一髻[2]，常戴偃月冠[3]。一笠一衲，寒暑御之。不饰边幅，人皆目为张邋遢[4]。所啖升斗辄尽[5]，或避谷数月自若。书过目不忘。游处无恒，或云一日千里。洪武[6]初，至蜀太和山，结庵玉虚宫[7]，自行修炼。洪武二十七年[8]，复入湖北武当山，与乡人论经典，娓娓不倦。一日在室读经，有鹊在庭，其鸣如争论。真人由窗视之，鹊在树，注目下睹。地上有一长蛇，蟠结[9]仰顾。少倾，鹊鸣声上下，展翅相击。长蛇揉首微闪躲过鹊翅。鹊自下复上，俄时性燥，又飞下翅击。蛇亦蜿蜒轻身闪过，仍作盘形。如是多次。真人出，鹊飞蛇走。真人由此悟，以柔克刚之理，因按太极变化，而成太极拳。动静消长，通于易理，故传之久远，而功效愈著。北平白云观[10]，现存有真人圣像，可供瞻仰云。

注释

按：张三丰，生卒年不详。《明史·方伎传》载："张三丰，辽东懿州人，名全一，一名君宝，三丰其号也。"元末明初儒者、技击家，武当派祖师，武当丹士，被奉为武当派创立者。精拳法，其法主御敌，非遇困危不发，发则必胜。善书画，工诗词。据传年六十七岁时受火龙真人大道，隐居武当山，属隐居派气功家。

在各种张三丰的传记或有关他的材料里，还有全弌、玄玄、三仹、三峰、三丰遯老、通、玄一、君实、居宝、昆阳、保和容忍三丰子、喇闼、邋遢张仙人、蹋仙等诸多名号。游宝鸡山中，有三山峰，挺秀仓润可喜，因号三峰子。亦有因"峰"字和"丰"的简体字同形而错称为"张三峰"。传说其丰姿魁伟，大耳圆目，须髯如戟。无论寒暑，只一衲一蓑，一餐能食升斗，或数日一食，或数月不食，事能前知。游止无恒。居宝鸡金台观时，曾死而复活，道徒称其为"阳神出游"。入明，自称"大元遗老"。时隐时现，行踪莫测。洪武二十四年（1391 年）朝廷觅之不得。永乐年间，成祖遣使屡访皆不遇。天顺三年（1459 年）诏封通微显化真人。张三丰认为古今仅正邪两教，所谓释、儒、道三教仅为创始人之不同，实则"牟尼、孔、老皆名曰道"，而"修己利人，其趋一也"，又称"一阴一阳之谓道，修道者修此阴阳之道也，一阴一阳一性一命而已矣。他还认为："玄学以功德为体，金丹为用，而后可以成仙。"明英宗赐号"通微显化真人"；明宪宗特封号为"韬光尚志真仙"；明世宗赠封他为"清虚元妙真君"。张三丰是丹道修炼的集大成者，主张"福自我求，命自我造"。张三丰所创的武学有王屋山邋遢派、三丰自然派、三丰正宗自然派、日新派、蓬莱派、檀塔派、隐仙派、武当丹派、犹龙派等至少十七支。清代大儒朱仕丰评价张三丰说，古今练道者无数，而得天地之造化者，张三丰也。后人编有《张三丰先生全集》。收入《道藏辑要》。

张三丰先生曾作一首《上天梯》词（《张三丰先生全集·方春阳点校》，浙江古籍出版社 1999 年版），可作为张三丰出身和生平的一个重要参考资料。

全文如下：

大元飘远客，拂拂髯如戟，一曲上天梯，可当飞空锡。回思访道初，不转心如石，弃官游海岳，辛苦寻丹秘，舍我亡亲墓，乡山留不得，别我中年妇，出门天始白，舍我丱角儿，掉头离火宅，人所难毕者，行人已做毕，人所难割者，行人皆能割，欲证长生果，冲举乘仙鹤。后天培养坚，两足迈于役，悠悠摧我心，流年驹过隙，翘首终南山，对天三叹息。天降火龙师，玄音参一一，知我内丹成，不讲筑基业，赐我外丹功，可怜谆告切，炼己忘世情，采药按时节，先天无斤两，火候无爻策，只将老嫩分，但把文武别，纯以真意求，刀圭难缕晰，十月抱元胎，九年加面壁，换鼎复生孙，骑龙起霹雳，天地坏有时，仙翁寿无极。

明末清初的大史学家黄宗羲在《王征南墓志铭》最早记载了武当内家拳的传承关系："三峰之术，百年之后流传于陕西，而王宗为最著。温州陈州同从王宗受之，以此教其乡人，由是流传于温州，嘉靖间，张松溪为最著。松溪之徒三四人，而四明叶继美近泉为之魁，由是流传于四明。四明得近泉之传者，为吴昆山、周云泉、单思南、陈贞石、孙继槎，皆各有授受。昆山传李天目、徐岱岳，天目传余波仲、吴七郎、陈茂弘；云泉传卢绍岐；贞石传董扶舆、夏枝溪；继槎传柴玄明、姚石门、僧耳 、僧尾。而思南之传，则为王征南。"文中"三峰"即为"三丰"之误，而最早把"三峰"和"三丰"混为一谈的是清代大文豪、顺治进士王士禛的笔记《池北偶谈》："拳勇之技，少林为外家，武当张三峰为内家。三峰之后有关中人王宗，宗传温州陈州同，州同明嘉靖间人。故今两家之传盛于浙东。"文中，他把宋徽宗时期的张三峰与元明之际的张三丰混淆为一人。

如今，张三丰已普遍被拳家视为武当派武术的始祖、创始人已是不争的事实，每年农历四月初九，各门派众多太极拳传人都会设堂纪念张三丰诞辰。

① 修髯如戟：髯音 rán，胡子。戟音 jǐ，古代兵器名，合戈、矛于一体，略似戈，兼有戈之横击、矛之直刺两种作用。

② 髻：音 jì，将头发挽结于头顶的发式，也称结、玠。

③ 常戴偃月冠：在《太极拳使用法》中该句为“寒暑唯一箬笠”，箬笠，用箬竹叶及篾编成的宽边帽，即用竹篾、箬叶编织的斗笠。此处郑曼青改作偃月冠。偃月冠是道教服饰中的一种头冠，外形像是一个元宝，全为黑色；冠顶正中间有孔洞。佩戴时，道士将头发束起成一个发髻，从偃月冠正中的孔洞穿出，然后用一根发簪别住。该冠前面低后面翘起，因其形状类似新月而得名。按照道教规范，“道士曾受初真戒者用纶巾，戴偃月冠”。意思为，只有经过正式的传戒后的全真派道士，才能佩戴这种冠冕。

④ 邋遢：不洁，脏乱。始于明或以前。《明史·方伎传》记载张三丰“不饰边幅，又号张邋遢”。

⑤ 所啖升斗辄尽：啖，吃，如苏轼《食荔枝二首》：“日啖荔枝三百颗，不辞长作岭南人。”升斗，容量单位。十合为升，十升为斗。《汉书·律历志上》：“量者，龠、合、升、斗、斛也，所以量多少也。”辄，此处作副词，立刻，就。此句意为食量大且用食快。

⑥ 洪武：中国明代第一个年号，时间为 1368—1398 年，当时在位的为明朝开国皇帝明太祖朱元璋。

⑦ 至蜀太和山，结庵玉虚宫：蜀，四川省的别称，旧地在今四川、云南、贵州一带。太和山，为武当山别名。四川省达州市宣汉县有一太和山，并不出名，山上皆无庵庙资料可考。此处“蜀太和山”的记载有误。结，聚合、凝聚。庵，圆形草屋。玉虚宫，指武当山玉虚宫，据传张三丰是在武当山玉虚宫悟拳而定拳理。

⑧ 洪武二十七年：公元 1394 年。

⑨ 蟠结：盘曲纠结。

⑩ 北京白云观：唐开元二十六年（738 年），建天长观，金明昌三年（1192 年），重修此观，改名为太极宫。元初全真派道长长春真人丘处机奉

元太祖成吉思汗之诏驻太极宫掌管全国道教，遂更名长春宫。1227 年丘处机逝世，其弟子在宫东建立道院，取名白云观。元代末年，长春宫等建筑毁于兵燹，白云观独存。明洪武二十七年（1394 年）重建前后二殿和一些附属建筑，正统年间（1436—1449 年）又大规模重建和添建，使观之规制趋于完善。明末，观复毁于火。清康熙四十五年（1706 年）在原来基础上重新大规模重修与扩建，今白云观的整体布局和主要殿阁规制即形成于此时。

郑序

天下唯至刚乃能制至柔，亦唯至柔乃能制至刚。[①]易曰："刚柔相摩，八卦相荡。"[②]书曰："沈潜刚克，高明柔克。"[③]诗曰："刚亦不茹，柔亦不吐。"[④]然则刚柔之用，理无二致。[⑤]何老氏独言"天下之至柔，驰骋天下之至坚"？[⑥]又曰："柔弱胜刚疆。"[⑦]余甚疑之。宋末有张真人三丰者，创为太极柔拳之术，所谓"有气则无力，无气则纯刚"，异哉言乎[⑧]？以视老氏之说，其理更不同，余尤惑焉，何则？不用力固已柔矣，未闻有不用气也。若不用气，何复有力，而至于纯刚乎？

注释

①天下唯至刚乃能制至柔，亦唯至柔乃能制至刚：唯，只有。制，制止，控制。

②刚柔相摩，八卦相荡：出自《周易·系辞·上》。摩，摩擦。《周易》认为刚柔是阴阳的表现形式之一，宇宙间的万物，都是由刚柔这两个相反的力量互相摩擦而产生的。所谓"荡"，即为一来一往之意，六十四卦就是八卦的一来一往，彼此相荡而生。《周易》讲的就是宇宙运行的法则。而正

是因为有了宇宙运行的法则，日月才会有规律的运行，因此创造了宇宙万物。

③书曰……高明柔克：书，指《尚书》。沈，音chén，同“沉”，下同，不另注。“沉潜刚克，高明柔克”出自《尚书·洪范》。沉潜，深沉不露。高明，见解独到或技艺高超之人。克，战胜、制伏。两句意为对深沉不露的人，要用刚强制服；对性格开阔爽朗的人，要用柔和取胜。

④诗曰……柔亦不吐：诗，指《诗经》。茹，吃。吐刚茹柔，吐出硬的，吃下软的，比喻欺软怕硬。反其意则为“刚亦不茹，柔亦不吐”，形容对强硬的不害怕，对软弱的不欺侮。语出《诗经·大雅·烝民》。

⑤然则刚柔之用，理无二致：二致，不一致，两样。两句意为既然《周易》《尚书》《诗经》都说了刚与柔的作用，在道理上也没什么不一致之处。

⑥何老氏独言……驰骋天下之至坚：何，为什么。老氏，老子。“天下之至柔，驰骋天下之至坚”出自《道德经·四十三章》。三句意为为什么老子独言：天下最柔弱的东西，可以驱使天下最坚硬的东西。

⑦又曰：“柔弱胜刚疆”：又曰，老子又说。疆，通“强”，如《吕氏春秋·长攻》：“凡治乱存亡，安危疆弱，必有其遇，然后可成。”

⑧异哉言乎：不一样的说法呀。

癸亥，岳任北京美术专门学校①教授。有同事刘庸臣者，擅斯术，以岳体羸弱，勉之学习。甫逾月，辄婴事辍，未得其趣。②庚午③春，岳因创办中国文艺学院，操劳过度，甚至咯血。因复与同事赵仲博④、叶大密⑤，研习斯术。不一月，病霍然，而身体遂日见强健，于是昕夕⑥研求，锲而不舍。两年之间，与有力十倍于我者较，则数胜矣。始信柔之足以胜刚，然未知有不用气之妙也。壬申正月，岳在濮公秋丞⑦家，得晤杨师澄甫。秋翁介岳，执贽于门。承澄师之教导，口授内功，始知有不用气之义矣。不用气，则我处顺，而人处逆，唯顺则柔。柔之所以克刚者渐也，刚之所以克柔者骤[8]也。骤者易见，故易败；渐者难觉，故常胜。不用气者，柔之至也。惟至柔故能成至刚。余至是遂恍然大悟，于真人与老氏之说，大易摩荡之训，究竟一理。虽然，岳犹恐闻吾言者，亦如岳昔日之滋惑[9]，其将何以释而证之。乃与同门匡克明，共请于澄师曰，曩者[10]师法相承，悉凭口授指示，未有专书。与其怀宝以秘其传，何如笔之于书以后传世。澄师曰然，爰[11]将体用之妙法，尽启其橐钥[12]，摄图列说，缕析条分。并及剑法枪法等，各有运斤成风[13]之妙。编述成书，分为二集，世之欲摄生养性者[14]，手各一编，了如指掌。非仅可以释疑解惑而已。自强强国之术，其在斯乎，其在斯乎！

癸酉闰[15]端阳　永嘉郑岳[16]谨序

注 释

① 北京美术专门学校：蔡元培先生于 1918 年 4 月倡导成立，是中国历史上第一所国立美术教育学府。

② 甫逾月……未得其趣：甫，刚刚，才。逾月，一个多月。辄，总是。婴，缠绕。三句意为才习练了一个多月，因为总是被琐事缠绕而终止，因此也没有得到什么乐趣。

③ 庚午：1930 年。

④ 赵仲博：吴图南在《国术太极拳》中有提及，为吴鉴泉之北方弟子，履历不详。

⑤ 叶大密：1888—1973 年，名百龄，号柔克斋主，浙江文成县人。1917 年师从田兆麟（1871—1959 年）习练杨氏中架太极拳。与孙存周先生（1893—1963 年）为金兰之交，曾得到孙父孙禄堂的口授身传。1928 年，叶大密又从杨少侯、杨澄甫学习拳架、剑、刀和杆子。后来他改编了太极拳

架，把杨氏大、中、小拳架的主要特点与八卦掌的斜开掌转身法、武当对剑中的转臂捷用法等结合，其独特风格被人称为“叶家拳”。1929年11月，在杭州召开“国术游艺会”，叶大密为37人组成的监察委员之一。叶大密的学生有濮冰如、金仁霖、蒋锡荣、曹树伟等。

⑥ 昕夕：昕，音 xīn，黎明。昕夕，朝暮，引申为终日。

⑦ 濮公秋丞：濮秋丞，光绪年间进士，杨澄甫的第一个入室女弟子濮冰如（1907—1997年）之父。

⑧ 骤：疾速，突然。

⑨ 滋惑：滋生的迷惑。

⑩ 曩者：从前、以往。曩，音 nǎng。

⑪ 爰：于是。

⑫ 橐钥：音 tuó yuè，古代冶炼时用以鼓风吹火的装置，犹今之风箱，这里喻指本源。

⑬ 运斤成风：运。挥动。斤，斧头。挥动斧头，风声呼呼。比喻手法纯熟，技术高超。

⑭ 世之欲摄生养性者：摄生，指养生，保养身体，语出《老子》：“盖闻善摄生者，陆行不遇兕虎，入军不被兵甲。”养性，修养身心，涵养天性。语本《孟子·尽心上》曰：“存其心，养其性，所以事天也。”

⑮ 癸酉闰：癸酉，1933年。指1933年闰五月。

⑯ 永嘉郑岳：著名太极拳家郑曼青（1901—1975年），名岳，字曼青，别号玉井山人，浙江永嘉人。师从杨澄甫，曾助杨澄甫编写《太极拳体用全书》，1934年5月由上海大东书局印制出版，该书拳照、习练和使用的内容与杨氏先期出版发行的《太极拳使用法》无大区别，只是在文字上有所润色而更具条理。1949年去台，创立时中拳社，传授拳术。1965年赴美国，客居纽约，创办太极拳学社，广授生徒，直接间接从学研习者不下数万人。晚年集一生习拳体验，编就郑子太极拳37式，著有《郑子太极拳十三篇》（后文简称《十三篇》）、《郑子太极拳自修新法》（后文简称《自修新法》）等。

自序

余幼时，见先大父[①]禄禅公，率诸父及诸徒游者，日从事于太极拳。[②]或单练，或对习，昕夕不辍，心窃疑之。以为是一人敌，项籍所不屑学者。余他日当学万人敌[③]。

注 释

① 大父：祖父。

② 余幼时……日从事于太极拳：我还是幼年时，见祖父禄禅公带领父辈以及他的弟子们，每天习练太极拳术。

③ 万人敌：一指兵法，语出《史记·项羽本纪》："剑一人敌，不足学，学万人敌"；二是以"可敌万人"形容勇力威猛。此处用项羽典故，认为太极拳只能与一个人对抗，这是项羽所不屑一顾的习练，我将来要学习他能与万人对抗的能力。

稍长，先伯父班侯公命余从之学。于是向之所疑者，不复能隐，则直陈[①]之。先大夫[②]健侯公怒斥之曰："恶[③]，是何言？汝大父以此世吾家，若乃欲坠箕裘[④]欤?”先大父亟止之曰：“此不能折服孺子也。”

注释

① 直陈：径直陈说，直说。

② 先大夫：称呼自己过世的父亲，此处指杨健侯（1839—1917 年）。

③ 恶：音 wū，文言叹词，表示惊讶。

④ 欲坠箕裘：坠，辱没，丧失，败坏。箕裘，《礼记·学记》中载：“良冶之子，必学为裘，良弓之子，必学为箕”，比喻祖上之业。

以手抚余曰：“居，吾语汝。[①]吾之习此而教人者，非以敌人，乃以卫身；非以用世，乃以救国。[②]今之君子，只知国之弊在贫，而未知国之病在弱也。是故谋国是者，竞筹救贫之策，未闻有振衰起颓[③]之图。惟其通国皆病夫，谁复胜此重任? 积弱斯贫，贫实原于弱也。考各国之致强，莫不强民为初步，欧美之雄伟英挺无论矣。即岛国侏儒，亦孰非短小而精悍。以吾国人之鸠形鹄面当之，胜负之决，庸待蓍龟[④]。然则救国之道，自当以救弱为急务。舍此不图，抑亦末矣。[⑤]余自幼即以救弱为己任。尝见卖解[⑥]者，其精神体魄，固不逊于外人所谓大力士武士道者。余大喜叩其术，秘不以告。乃知中国自有强身之术，而一弱至此，岂无故哉? 嗣[⑦]闻豫中陈家沟陈氏有内家拳之名，蹑跻[⑧]往从陈师长兴[⑨]学。虽不见拒于门墙之外，然日居月诸，迄未许窥堂奥。[⑩]忍心耐守，凡十余稔[⑪]。师悯余诚，始于月明人静时，举个中妙谛，以授余。学成来京师，誓本素志，广授于人。未几，见从吾学者，瘠者肥，羸者腴，病者健，乃大喜。愿以一人之所授有限，则如愚公之移山，更以诸若父叔辈，暨诸从游者。若志在用世，宁鄙视救世之术而不学乎？⑫”

注释

① 以手……吾语汝：居，坐。两句意为祖父用手按着我说：“坐下，我说给你听。”

② 非以敌人……乃以救国：敌，攻击。四句意为不是用它（太极拳技）攻击他人，而是用它保护自己；不是用它来做谋生之道，而是用它来救国的。

③ 振衰起颓：使衰落和呈现颓势的局面得以恢复和振兴。

④ 蓍龟：蓍，音 shī，蓍草。龟，龟甲。古人用蓍草、龟甲占卜吉凶，合称蓍龟，指代占卜。

⑤ 舍此不图，抑亦末矣：末，下策。两句意为舍弃了体弱多病这个重要的原因，不从根本上去图治解决，就只能是下策了。

⑥ 卖解：旧时指以表演武术、马戏、杂技等谋生。

⑦ 嗣：副词，接着，随后。

⑧ 蹑跻：音 niè juē。跻，屩、鞋，古代多指草鞋。蹑跻，由成语“蹑跻檐笠”化出，穿着草鞋，背着斗笠，指远行、跋涉。

⑨ 陈师长兴：陈长兴（1771—1853 年），著名内家长拳继承人，字云亭。河南温县陈家沟人。陈长兴拳术由蒋发所传，后人称长拳或绵拳。其站桩立身端正，落地生根，不偏不倚，稳如泰山，故人称其为“牌位先生”。清道光年间，杨禄禅通过河北广平府永年城西大街“泰和堂”东主陈德瑚（陈家沟人）帮助，得以向陈长兴学习内家拳。

⑩ 然日居月诸，迄未许窥堂奥：日居月诸，成语，指光阴的流逝，语出《诗经·邶风·日月》：“日居月诸，照临下土。”堂奥，厅堂的深处，喻含义深奥的意境或事理。

⑪ 稔：音 rěn，谷熟，引申为年，年度。

⑫ 若志在用世，宁鄙视救世之术而不学乎：既然立志在有为于社会，难道宁可鄙视这救国的方法，而不愿参与学习吗？

余于是，始恍然于先大父之孳孳[①]斯术。且以世吾家者，盖有在也，遂欣然请受教。

先大父更诏之曰："太极拳创自宋末张三丰，传之者，为王宗岳、陈州同、张松溪、蒋发诸人相承不绝。陈长师，乃蒋先生发唯一之弟子，其术本于自然，而为形不离太极，为式十三。而运用靡穷，运动身体，而感及心灵。故非习之既久，骤难得其奥妙。从吾学者，不乏其人，而炉火纯青之候，虽班侯犹未易言也。然就强身而论，则一日有一日之益，一年有一年之效。孺子知之，其有以宏吾志。"

注释

① 孳孳：孜孜，勤勉，努力不懈，如《礼记·表记》："俛焉日有孳孳，毙而后已。"

余谨识之不敢忘，自是而后，锲而不舍，阅二十寒暑。而先大父、先伯父，及先大夫，先后捐馆[①]。余始则授徒旧都[②]，嗣以局促一隅，为效褊颇，[③]更南走江淮闽浙间。复嘱陈生微明[④]，以余口授者，刊为一书，历十余年。而太极拳之风行，自河[⑤]南北，及于江[⑥]左右，甚且粤水之滨，习之者亦大有其人矣。顾陈子之书，仅述单人练习之程序，且翻阅十数年前之功架，又复不及近日，于此见斯术之无止境也。今因诸生之请，复继续将体用之全法，编次成集。基本练法，及推手大擺，一一俯以最近图影，付诸梨枣⑦，以公于世。剑法及枪戟刀等，拟为第二集续刻。非敢以术自鸣，窃欲宏先人振人救世之志云尔。

中华民国二十二年春广平澄甫杨兆清

注释

① 捐馆：捐，放弃。馆，官邸。从字面上来说，就是放弃了自己的官邸，这是对死的比较委婉的说法。亦作“捐舍”。

② 旧都：指北京。

③ 嗣以局促一隅，为效褊颇：后来感到由于局限于一个角落，产生的影响面狭窄。褊，音 biǎn，狭小。

④ 陈生微明：陈微明（1881—1958 年），太极拳家，又名慎先，河北蕲水人。曾从孙禄堂学习形意拳、八卦掌，后就学于杨澄甫。1925 年在上海创办“至柔拳社”，后在广州等地设立分社，广泛邀请太极拳名家授课。根据杨澄甫的口头传授，在 1925 年，陈微明撰写了《太极拳术》一书，由中华书局印制出版。

⑤ 河：黄河。

⑥ 江：长江。

⑦ 付诸梨枣：梨枣，指刻版刊印书籍，旧时刻书多用梨木枣木，古代称书版。

例言

○本书编著之要旨，在乎体用兼备。世之学太极拳者，日见繁多，未明体用之法，殊鲜心身之益。[1]故特不珍敝帚以千金[2]，冀得造极登峰之多士，自强之旨，窃愿与国人共勉之。

注释

① 未明体用之法，殊鲜心身之益：殊，很。鲜，少。意为不了解（太极拳）在体、用上习练的道理和方法，很少会在心身上得获好处。

② 故特不珍敝帚以千金：脱自同出一源的两个成语“敝帚自珍”和“敝帚千金”，比喻东西虽然简陋，由于是自己的，却看得很宝贵。本句反其意而用之，意为自己虽然很宝贵自己的太极拳术，但为了更多人从中获益，特意不敝帚自珍而述之于书。

○太极拳本易之太极八卦，曰理、曰气、曰象，以演成。[1]孔子所谓范围天地之化而不过，岂能出于理气象乎？惟理气象乃太极拳之所胚胎也。三者得能兼备，而体用全矣。然象则取法太极八卦，气则不出于阴阳刚柔，理则主宰变易不易，以穷其化。学者尤其先求其象，以养其气，久之自然能得其理矣②。

注释

① 太极拳……以演成：易，指《周易》。太极拳就是从太极八卦理论出发而形成的内家拳，理、气、象是太极拳的本质。理，即客观事物的本身规律与次序的道理。所谓得理，即得拳之功也。气，是腰为主宰而起于脚的“气”，实质上是人体传递性的力量，也就是“劲”。所谓得气，即是得拳之势。所谓得象，即是得拳之形。如果得理、养气是为体，那么象则为用。

按：太极拳老谱上所说的“气”，实质上是练太极拳逐渐而成的传递性的力量。魏坤梁先生认为：它是一种能够发生能量转换的物理量，强度大的就称为“劲”。这种“气”的产生与小腹很有关系，由脚作用地面直接发生，经过锻炼可以由于全身各环节的“相向作用”传递至身体任何一个部位。发生使用后即消耗掉，不存在回到丹田。也就是说如果这种“气”不发生，全身各处是不存在“气”的。这种“气”是由运动神经直接支配的，既可以由意念影响运动神经间接参与指挥，也可以由“无意识”“潜意识”条件反射地控制，而与意念无关。太极拳锻炼如果兼练传统内功，可以有利于这种“气”的锻炼。这“气”和“劲”的实质都是一种人体的“动量传递”。

② 孔子所谓……久之自然能得其理矣：范围，就是确立能涵盖天地万物变化的人类思维框架，以阴阳学说为核心，融天、人、地于一体的系统思维方式，确定与天地和顺相生、人际间和谐相处的行为规范。本段意为，理、气、象是太极拳的起源之根本，象者为拳之形、气者为拳之势、理者为拳之功，理气兼备，举手投足，无不逾矩，只有三者逐一完备，方能日趋“演成”。而习拳的顺序，则应该是以象为先、继为气、最后自然得其理。学者尤其先求其象。（《正版》勘误表：“其”为“宜”之误植。《太极拳体用全书》附有勘误表，以下应用时，简称为《正版》勘误表。）

〇太极拳之主体，贵在动静有常[①]，故练时举步之高低、伸手之疾徐、运动之轻重、进退之伸缩、气息之宏细、顾盼之左右上下、腰顶背腹之俯仰，须知各有常度。不可忽高忽低，忽疾忽徐，忽轻忽重，忽伸忽缩，忽宏忽细，忽左右上下俯仰之不匀也。惟步之高低，手之疾徐，如能得有常度，则亦不必拘其高低疾徐之有一定法则也。[②]

注释

① 动静有常：常，常规，法则。行动和静止都有一定常规。指行动合乎规范。

② 如能得有常度，则亦不必拘其高低疾徐之有一定法则也：此两句接上句所说，学拳者如行拳走架能依遵规矩去练，而至心领神会阶段，就可以不必拘泥于架子的高低、动作之急徐了。即熟能生巧，就可以随我所用而变化无穷。

〇太极拳要点，凡十有三，曰沈肩垂肘，含胸拔背，气沈丹田[①]，虚灵顶劲[②]，松腰胯，分虚实，上下相随，用意不用力，内外相合，意气相连，动中求静，动静合一，式式均匀。此十三点，凡一动作，皆要注意，不可无一式中而无此十三要点之观念。缺一不可，学者希留意参合也。

注释

① 气沈丹田：即气沉丹田。在太极拳运动中所谓运行于体内的“气”，

是指激发动作时的传递性力量。丹田，脐至关元穴（脐下三寸正中）的一块区域。气沉丹田：是采用膈肌上下运动为主的腹式呼吸，并使之与拳式之蓄、发、开、合相结合。郝少如先生曾说："以意引气达于腹部，不使上浮，谓之气沉丹田。"孙禄堂先生在传授"鹰熊斗智"的架子时，要求把"小腹放到大腿上"，这就是气沉丹田的具体体现。

② 虚灵顶劲：最常被说起的太极拳常用语之一。

按：何谓"顶劲"？现代太极拳界说法不一，有"头颈笔挺直竖"说、有"头颈用微力向上顶"说、有"头颈上端后撑"说、有"下颌内扣，颈后与衬衣领接触"说等，按照这些标新立异的错误说法去做，不仅会造成头部或颈部过度紧张，从而妨碍了肩部以上应有的舒适放松，而且也不符合人体颈部自然前倾的生理曲度。太极拳要求头颈必须能够作出灵活的上仰下俯与左右转动，而不是像仪仗队执行礼仪任务或芭蕾舞表演时作颈部发僵之状态。

我们不妨逐字来解词义。

虚：指虚空、放松，如《管子·心术上》："虚者万物之始也。"灵：指人的精神意志，如刘勰《文心雕龙·情采》："综述性灵，敷写器象。"(敷：陈述。器象：指万物)。顶：作名词，本义指最高的部分，山顶、头顶，如《淮南子》："今不称九天之顶，则言黄泉之底，是两末之端议，何可以公论乎？"劲：指正直、刚正，如《荀子·儒效》："行法志坚，不以私欲乱所闻；如是，则可谓劲士矣。"

上面所述的错误说法的产生，往往是用机械性的常规思维去理解字义所致，如果把"顶"和"劲"作动词，分别看成是"支撑、抵住"和"力气、力量"，那么在理解上就必然导致偏差，也有悖于前辈的原意。"微微地顶，虚虚地领"其意就是说这"顶劲"是放松的，是精神意志上的，不是指外形，而是指意识，其理"不在外而在内"。杨澄甫曾对"虚灵顶劲"有明确的解说："意含顶劲"，"顶劲非用力上顶，要空虚、要头容正直，精神上提，不可气贯于顶。"李雅轩在《随笔》中解说："头部虚灵上顶，不是僵直上顶，要有活动虚灵的气势”，这些才是“顶劲”最本质的内涵。由此可见，“虚灵顶劲”就是“精神上提”的“头容正直，”就是“神贯顶”而非“力贯顶”。

〇本书之用法，为已熟练太极拳者，进一步而言也。故方向不必拘定，则四正四隅①皆可试用。如未熟练拳法者，不可躐等②而习用法，恐素无根柢，终少成效。初学者，希细阅上图之单人功架，久娴体法，则用法不难而得也。

注释

① 四正四隅：《三十二目·八门五步》：“八门五步夫掤、攦、挤、按是四正之手。採、挒、肘、靠是四隅之手。”《太极拳论》：“掤攦挤按，即乾坤坎离，四正方也。採挒肘靠，即巽震兑艮，四斜角也。”

② 躐等：逾越等级，不按次序。

〇太极拳只有一派，无二法门，不可自眩聪明，妄加增损。前贤成法，倘有可移易之处，自元、明迄今，已数百年，如有可改之处，昔人亦已先我行之矣，乌待吾辈乎？愿后之学者，弗惟外之是骛，而为内之是求。①欲进精醇，期日可待。要之拳式细目，非取形似，必求意合。惟恐私心妄改，以误传误，易失体用之真传，以致湮没昔贤之本意。兹照旧本校正，以垂为正范。

注释

① 弗惟外之是骛，而为内之是求：此句比喻不切实际地追求过高过远的目标，语出自清·李渔《闲情偶寄·器玩·制度》：“但其构思落笔之初，未免驰高骛远。”有不少拳师以为此二句是谈推手之技巧，这种解说是望词猜义，断章取义，忽视了上下句间的关联。两句意为不要有不切合实际的想法，而擅自更改套路或架势，而应该依照正确的范本学习，在自身求得功夫。

○太极拳，非专为与有力者斗狠而作。盖三丰真人，创造柔拳，以资助道体之用。世之有愿卫身养性，却病延年者，无论骚人墨客，羸弱病夫，以至老幼闺人，皆可学习。有恒者，三载有成，若问其用，则在不用力，而却不畏有力也。倘有大力者来袭我，以吾之至柔，自足以制胜者，盖顺其势而取之也。卫身养性之要，亦曰顺而守其弱也可，不然虽有勇力如贲育[①]者，亦非太极拳家之所取也。

○初学此拳式者，万不可贪多，每日仅熟练一二式，则易窥其底蕴，多者仅得其皮毛耳。练毕弗即坐，须稍散步数圈，以调畅其气血。

○炎夏练毕，弗用凉水盥手，恐其郁火[②]。严冬练罢，宜速着衣，以免受凉。功夫宜寒暑增加，所谓夏练三伏，冬练三九，比春秋日胜。晨甫起床，及夜将就睡，两时万不可间断，则功夫易见有成也。

○太极剑及枪、刀、戟等，当陆续刊行，以供同好。

注释

① 贲育：战国时勇士孟贲和夏育的并称。

② 郁火：泛指阳气郁结化火的证候。症见头痛、目赤、口疮、身热、大便秘结、小便赤、舌红苔黄、脉数实等。

按：1949 年，杨守中先生赠予李雅轩先生一本《太极拳体用全书》(中华书局，1948 年 10 月再版)，之后，李雅轩先生在书眉上批注，对书中拳式的文字叙述记录了自己的不同见解。1999 年 10 月，《太极》杂志 1999 年第 5 期发表了陈龙骧先生的《李雅轩先生对〈太极拳体用全书〉的眉批》一文。次年 8 月，该文又以《李雅轩对〈太极拳体用全书〉的批评》为题，在《武林》杂志再次发表。一石激起千层浪，立刻引发了非议，甚至有文说道："不论李雅轩当年如何认识，客观上造成了人们感到他对自己老师的不敬。"《太极拳体用全书》署名"著者杨澄甫"，实际上文字部分出自郑曼青先生之手。如果细品批语，可证李雅轩先生读书之细、认识之彻、境界之高。同时，亦表明李雅轩先生"吾爱吾师，吾更爱真理"的高尚品德。

在"例言"第四条上，李雅轩先生眉批全文如下："老论中无含胸拔背之说，只有虚灵顶劲、气沉丹田。亦无松肩垂肘之说。盖气沉丹田，一身松舒，含胸拔背、松肩垂肘自然有之。若单注意去作含胸拔背、松肩垂肘，恐与身心舒适有碍，学者不可不慎。尤不可专注意此十三点也。只须注意一身松舒，虚灵顶劲，气沉丹田，则十三点自然有之，而且来的自然。否则必致勉强作出，与自然大有妨碍也。"从中可以看出，李雅轩先生仅是带着思索，对自己的师弟陈微明、郑曼青两先生，就"含胸拔背"在措辞上，谈了可以进一步完善的自我认识，眉批中说的意思是太极拳的所有要领都具有整体性，不能孤立单独地去强调某一点，其中并没有认为"含胸拔背、松肩垂肘"是错误的，更没有对其师表示不敬之言。并且，李雅轩先生在《太极拳的锻炼方法及其主要说明》(陈龙骧编著，《李雅轩杨氏太极拳法精解》，第 71 页）一文中，就把"含胸拔背"说成是"必不可少的规则"之一。众所周知，批书同读书笔记，只是在读书时有感而发的记录，并非对外发表之作，因此，更不能把仅是指出杨澄甫老师的学生的行文措辞值得商榷，看成是针对杨澄甫老师，而实质是在批判《太极拳体用全书》的荒谬说法。

以《太极拳使用法》的内容为底稿，在由郑曼青先生整理编辑的《太极拳体用全书》的“例言”部分，一改《太极拳使用法》“凡例”中“无论男女老幼皆相宜。小儿六岁以上，老者六十岁以外，皆能习学”的习练之对象，而为“世之有愿卫身养性，却病延年者，无论骚人墨客，羸弱病夫，以至老幼闺人，皆可学习”。郑曼青在序中说道：“世之欲摄生养性者，手各一编，了如指掌。”由此可见，《太极拳体用全书》在内容中，剔除了《太极拳使用法》中的杨家老拳谱《三十二目》中的相关内容和《大小太极解》《太极用法秘诀》《审敌法》《单人用功法》等珍贵的实战文献，以及多篇实战“轶闻”，而成为一本以面向大众习练为对象，以“养生为本，技击为末”为宗旨，以“文”练为主导的太极拳教材。后来，郑曼青先生在《郑子太极拳十三篇》的“自序”中说道：“杨师澄甫以家传绝业，未肯轻易教授，正恐传非其人，故仅述体用之梗概，以传乎世耳。”叶大密先生在1967年6月25日写的一篇《谈谈我的推手体会》（蔡光圻编著,《武当叶氏太极拳研究》，汉语大词典出版社2005年版，第112页）中，谈到“靠壁运气”的方法时写道：“此法是先师河北永年杨澄甫老先生在沪时来我家亲自传授，师娘不知道，在他家是不会传我的，故我异常感激，特志此以为纪念。”从叶大密先生的这段话中，可以了解杨澄甫先生在主观因素上，或会受到家眷约束的缘故，对于某些招术或特殊训练方法的拳秘是不轻易外传的。在杨禄禅先生普及太极拳之前，太极拳是封闭式的传播，鲜为人知。自杨禄禅先生三赴陈家沟，历时十余年，才学得陈长兴先生绝密之拳技功夫，杨家之后均以专业授拳为生，除了如牛镜轩、田兆麟等极个别弟子能够得以全盘托出之待遇之外，这种习俗是不可能被轻易改变的。由此可见，“正恐传非其人”亦是当时收回《太极拳使用法》而焚毁，变《太极拳体用全书》以“卫身养性，却病延年”为宗旨的重要原因。

第一节 太极拳起势

图 1 太极拳起势

此为太极拳预备动作之姿势[①]。立定时，头宜正直，意含顶劲，[②]眼向前平视。含胸拔背[③]，不可前俯后仰。沈肩垂肘[④]，两手指尖向前，掌心向下。松腰胯，两足直蹈[⑤]，平行分开，距离与肩相齐[⑥]。尤要精神内固[⑦]，气沈丹田。一任自然，不可牵强。守我之静，以待人之动。则内外合一，体用兼全。人皆于此势易为忽略，殊不知练法用法，俱根本于此。望学者首当于此注意焉。（图 1）

注释

① 太极拳预备动作之姿势：早期太极拳老谱不录“预备”和“起势”。

预备势，后有立名为“无极势”或“太极势”的。其内容主要有三：调身、调神、调息。《自修新法》：“太极拳预备势，亦即是混元之站功。”

② 头宜正直，意含顶劲：指头部的要领和状态，即“虚灵顶劲”。杨澄甫在《太极拳十要》中解曰：“顶劲者，头容正直，神贯于顶也。不可用力，用力则项强，气血不能流通，须有虚灵自然之意。非有虚灵顶劲，则精神不能提起也。”张三丰《太极拳经》开篇便说的“顺项贯顶”，指的就是“虚灵顶劲”。

③ 含胸拔背：杨澄甫在《太极拳十要》中解曰：“含胸者，胸略内涵，使气沉于丹田也。胸忌挺出，挺出则气壅胸际，上重下轻，脚跟易于浮起。拔背者，气贴于背也，能含胸则自能拔背，能拔背则能力由脊发，所向无敌也。”

④ 沈肩垂肘：即“沉肩垂肘”。杨澄甫在《太极拳十要》中解曰：“沉肩者，肩松开下垂也。若不能松垂，两肩端起，则气亦随之而上，全身皆不得力。坠肘者，肘往下松坠之意。肘若悬起，则肩不能沉，放人不远，近于外家之断劲矣。”

⑤ 蹈：《正版》勘误表：“蹈”为“踏”之误。后同，不另注。

⑥ 距离与肩相齐：“与肩同宽”，常见于武学书刊，常闻于拳师口授。问题之一是：从颈部到外侧 15 厘米左右的区域都称“肩”，此说的“肩”为这区域上的哪一个点？问题之二是：脚掌宽度一般在 7 至 9 厘米，“与肩同宽”的是指脚内侧，抑或脚外侧？如此问题不明确，那就不免怎么站都是“与肩同宽”了。奚桂忠在《杨式太极拳学练释疑》一书中，对“与肩同宽”给出了较为科学的准则：“两脚涌泉穴的距离宜与两肩井穴同宽”，这样，“则肩井穴、髋关节和涌泉穴在同一直线上，且（垂直）平行于人体中心线，身体重量自然沿着骨架往下，沿大腿、小腿平均地分布到两全脚掌，人体器官处于平衡状态，利于全身松静、稳定和舒适……两臂前举上掤时，劲力不会减弱，也不会分散。”

⑦ 精神内固：精神，指人的意识、思维活动和一般心理状态。固，固守，内固于心。即《太极拳论》所说“神亦内敛”。

第二节 揽雀尾掤法①

图 2 揽雀尾掤法

揽雀尾为太极拳体用兼全之总手，即推手所谓黏连贴随，往复不离不断。遂以雀尾比喻手臂，故总名之曰：揽雀尾。其法有四，曰掤履挤按。

掤法。由起势，设敌人对面用左手击我胸部，我将右足即向右侧分开坐实，随起左足往前蹈出一步，屈膝坐实，后腿伸直，遂为左实右虚。同时将左手提起至胸前，手心向内，肘间略垂，即以我之腕贴在彼之肘腕中间，用横劲向前往上掤去，不可露呆板平直之像。则彼之力既②为我移动，彼之部位亦自不稳矣。（图 2）

注释

① 揽雀尾掤法：陈、吴、孙式作“懒扎衣”。明代戚继光《拳经》中所编“三十二势”亦以“懒扎衣”为第一势。

按：有拳家认为，“揽雀尾”是“懒扎衣”的音转，是在口授时以讹传讹所致，注者认为，这种推测不尽合理。“扎衣”和“雀尾”并非同音字，且字形字义也相差甚远，无论何种方言或何人抄写，都无可能使其音转或抄错。当拳术由口授进入到文字记载阶段时，各门拳派根据自身理解，对有关式名作出修订，使拳式和式名更为贴切，因而会产生“术同名异”的情况。称“懒扎衣”者，认为是古代拳家与人交手时“把长衫的下摆扎入衣带”之意。而称“揽雀尾”者则认为是“遂以雀尾比喻手臂”，或“两手揽抚雀尾”

之意。

“揽雀尾为太极拳体用兼全之总手”，其中包括了太极拳技击法中最基本的掤、攦、挤、按四法，因此无论在盘架或推手中，拳家都把它当作基础功夫来训练，这也是其在套路中反复出现的原因所在。历来的太极拳家对“揽雀尾”或“懒扎衣”一势都十分注重，因此留下不少专论。

“掤”在太极拳手法中列为八法之首，读péng。如起势为面向正南，此处为身朝正西方的左掤法，形似斜飞式。而陈微明在《太极拳术》中的同一左掤，则是身朝正南，说明拳架也在不断改变发展之中。正如杨澄甫在《太极拳体用全书》中所言：“且翻阅十数年前之功架，又复不及近日，于此见斯术之无止境也。”

② 既：为“即”之误。即，立刻、随之。

第三节　揽雀尾攦法

由前势。设敌人用左手击我侧肋[①]部，我即将右足向右前正面蹈出，屈膝蹈实，左脚变虚，身亦同时向右面转，眼随往平看。左右手同时圆转，往右前出动。右手在前，手心侧向里。左手在后，手心侧向内，转至右手心向下。左手心向上时，速将我右肘腕间，侧贴彼肘节上，侧仰左腕，以腕背粘彼之腕背臂上，向左外侧。全身坐在左腿，左脚实，右脚虚。此时敌如进攻，我即内向胸前，左侧攦来，则彼之根力拔起，身亦随之倾斜矣。（图3）

图3　揽雀尾攦法

注释

① 肋：胸部的两侧，如“两肋”“肋骨”。

按：《自修新法》对此式提出注意有两点：第一，眼神始终随头部转动向前平视。转身时，眼神亦即收住。第二，身转则手亦随之转动，身停则手动亦停。然而，手停后仍有动的余力未停，曰“荡”，也就是我们常说的“惯性”，当“惯性”未停又与动相接，这就成为太极拳的关键之处。正在“动”而停到“荡”，“荡”又接下一个“动”，这“动荡”和“荡动”之间，决不可间断。

第四节 揽雀尾挤法

图 4 揽雀尾挤法

由前势。设敌人往回抽其臂，我即屈右膝。右脚实，左腿伸直，伸腰长往，随之前进，眼神亦直前往上送去。同时速将右手腕[①]向外翻出，左手心贴我右之[②]腕臂间，向前往，乘其抽臂之际，随出挤之，则敌必应手而跌矣。（图 4）

注释

① 手腕：为“手背”之误。

② 右之：《正版》勘误表：“右之”为“之右”之误。全句为“左手心贴我之右腕臂间”。

按：在田兆麟的《太极拳刀剑杆散手合编》（陈炎林著）的用法中，“左手心贴右腕臂”的“挤”出后，有一用右臂翻打的动作：“……己则屈右膝，伸腰腿，随其势向前挤进，至入笋时，将右肱部向外往上翻出。”入笋，即入榫，木匠用语，为严丝合缝之意。此处指双手按到似直非直，着落于敌身之时。

关于《合编》，吴文翰先生在《太极拳书目考》中记载道："陈炎林，名公，中医伤科医师。他的太极拳是跟田兆麟先生学习的，书中介绍的太极行功，拳势，刀、剑、杆套路，都是田兆麟壮年时期的功架。拳理部分大半源于杨健侯赠与田兆麟的《太极拳谱解》，图例是按田兆麟先生的弟子石焕堂等人的拳照勾描出来的，由于陈炎林在书中对田兆麟先生的授艺情况只字不提，给读者的印象是其拳艺直接来自杨家，而非田氏所授，不少人认为这是剽窃了人家物事，占为已有而不认账的行为。"

第五节 揽雀尾按法

由前势。设敌人乘势从左侧来挤，我即将两腕，从左侧往上用提劲，空其挤力。手指向上，手心向前，沉肩垂肘，坐腕，含胸，全身坐于左腿，速用两手心按其肘及腕部，向前逼按去。屈右膝，坐实，伸左腿腰亦同时往前进攻，眼神随动往前从上送去，则敌人即后仰跌出矣。（图5）

图5 揽雀尾按法

注 释

按："手指向上，手心向前"。在李庆荣先生所著《杨澄甫太极拳体用全书浅释》（以下简称《浅释》）一书中，用汪永泉先生在《杨式太极拳述真》中的"两手收向胸前，手心皆朝上"来"旁证"这一动作，"手心向前”和“手心朝上”两者差别甚大，何以“旁证”?

按照李庆荣先生在《浅释》中的说法，“杨澄甫太极拳……必须按《太极拳体用全书》和《太极拳使用法》中文字描述的动作进行和杨澄甫定型(1933年)的太极拳套路习练的，才称为‘杨澄甫太极拳’。”那么，汪永泉先生所习练的是否是杨澄甫太极拳呢？据汪永泉先生在《杨式太极拳述真》中所述，他所传授的“老六路”不同于杨澄甫先生，是杨健侯先生秘传于他的，此说的真伪不在讨论范围，用汪永泉先生的拳说，来“旁证”杨澄甫太极拳显然是违背了李庆荣先生的本意，而无明智之处。笔者不妨参照同样是得以杨健侯先生传授的田兆麟在《合编》中是怎样说的：“(两手收至胸前，与胸约距数寸)手指朝上，手掌向前……”，此说与杨澄甫先生所述完全合拍。由此可见，杨澄甫先生并未改变其父传授之动作。

自20世纪20年代以后，诸多出自杨门的文献和太极拳家的著作已经清楚地勾划了杨式太极拳拳架的基本轮廓和拳理的全部佐证。然而，随着太极拳先师的相继离世，太极拳界在近三十年内相继出现了许多所谓私传秘笈的新拳理，其荒诞程度几乎迫近了《封神榜》中所描写的神怪玄秘之说，使习练太极拳者感到有种不知所措的困惑而无所适从，对于太极拳这一珍贵文化遗产究竟应该怎样去认识，应该是当前值得正视的问题。

在《太极拳使用法》“对敌图·揽雀尾使用法”中，仅陈述“按”法之用。

《自修新法》在此节有重要提示：“要注意着手须随腰动荡，不得自由动作。切记，切记。”

第六节 单鞭

由前势。设敌人从身后来击，我即将重身移在左脚，右脚尖翘起，向左侧转动坐实[1]。左右手平肩提起，手心向下，一致随腰，左右往复荡动，以称转动之势。两手荡至左方时，乃将右手五指合拢，下垂做吊字式。此时左掌暂驻腰间，与吊手相抱，手心朝上[2]右足就原位，向左后转动翻身向后，左足提起，偏左蹈出。屈膝坐实，右腿伸直，同时转腰。左手向里，由面前经过，往左伸出一掌，手心朝外，松腰胯，向敌之胸部逼去。沈肩，垂肘，坐腕，眼神随之前往，俱要同一时动作，则敌人未有不应手而倒。（图 6）

图 6　单鞭

注释

①我即……坐实：《正版》勘误表：“身”为“心”之误。此动在《太极拳使用法》中为虚脚扣转：“右足就原地向左转动。”

按：“向敌之胸部逼去”句：在《太极拳使用法·对敌图·单鞭使用法》中为“左手迎敌将人打出”。逼，切近、威胁，左手不触碰对方，对方也不会“应手而倒”。打，攻击，左手直接触碰对方。两者用法明显不同。田兆麟的《合编》中为“按击”；董英杰的《太极拳释义》中为“推”；曾昭然的《太极拳全书》中为“进击”，三者均为攻击手法，故“逼”字疑误。

《自修新法》在此式有提示：“凡有手足之动作，皆须随腰胯转动，不可自由摆动。……此式为太极拳最开展之功架，亦为站功中之一开展桩，须多加注意，多多练习为佳。”

李庆荣先生在《浅释》的“缘起”中作如下说明：“以《太极拳体用全书》和《太极拳使用法》中的文字描述为准绳。”其实并非如此，他在“单鞭”的“旁证”中记录：“由拦雀尾按式，设敌人从身后自上轮拳泰山压顶打来，我速右足就原地向左转动，左足提起（杨公强调：右足原地转动，左足提起，即重心在右脚转动。)”此句出于《太极拳使用法·单鞭使用法》，经修改几个字后作为“旁证”录入。李庆荣先生无非是想说明在揽雀尾按式后，单鞭的转身为右脚不向左脚即移动重心的实脚扣转，而有意回避《太极拳体用全书·单鞭》中“由前势。设敌人从身后来击，我即将重身移在左脚，右脚尖翘起，向左侧转动坐实”的重心两次移动过程之描述。

在杨式传统太极拳中，由“揽雀尾按势”承接“单鞭”时的动势，究竟是“虚脚扣转”还是“实脚扣转”，令人困惑不已，以至于至今还在争论不休。胡克禹先生在《“十八图”风波与“实脚转”原则》(《武当》2009 年第 10 期，以下简称《原则》) 一文中把“虚脚扣转”和“实脚扣转”的问题认为是“无头公案”，并提高到“原则”上来论述“实脚转”的必要性。我们可以通过前辈的著述，看看杨式太极拳在“单鞭”一动上是如何演进的。

直接从学于杨健侯先师的许禹生的《太极拳势图解》(京城印书局 1921 年版) 是关于太极拳论述的近代第一部著作，他在“(3) 单鞭式”中说“右脚尖微向左前转”，其中没有提及重心转换。其弟子王新午在《太极拳法阐宗》(西安启新印书馆 1942 年 6 月版) 中“(3) 单鞭式”中说的比较明确：“全身重点暂寄右足”，由此可见，杨健侯先师传授的“单鞭”是“实脚扣转”。

健侯先师之子杨澄甫先生留存的三本杨式太极拳论著均由其弟子笔录而成。陈微明先生在杨澄甫公的口授之作《太极拳术》(中华书局 1925 年初版)“单鞭”中说：“两手与腰复同时往回松……右足向西者，将足跟转动，使足尖向南。”其中“两手与腰复同时往回松”即为重心转移至左脚的过程，可以理解为“虚脚扣转”。时过六年，杨澄甫公在《太极拳使用法》第五节“单鞭用法”中说明：“由前势设敌人从我身后来袭……右足就原地向左转动。”此处改为“实脚扣转”。三年后，杨澄甫公在《太极拳体用全书》第六节“单鞭”中作了“虚脚扣转”的改动：“由前势。设敌人从身后来袭。我即将重心移到左脚。右脚尖翘起。向左侧转动坐实。”这里，我们不难看出在历时近十年里，杨澄甫公的“单鞭”在三本拳书中经过了“虚脚扣转”—“实脚扣转”—“虚脚扣转”的演变调整过程，“虚脚扣转”成为“单鞭”的最终定型。

奚桂忠先生在《杨式太极拳学练释疑》(北京体育大学出版社 2008 年 1 月版，以下简称《释疑》) 中提出以“实脚转”为宜，他说：“目前流行的传统杨式太极拳是由杨公澄甫定型的，但杨公之拳应分为两个时期 (宜以 1928 年 左右为界)，其拳照和练法自然会有所不同，诚如杨公在《太极拳体用全书》中指出‘翻阅十数年前之功架，又复不及近日。’对一个拳师来说，不断提高技艺，改进拳技非常正常和符合事物发展规律的现象……因为虚脚转和实脚转都是杨祖师传下来的练法，只不过是虚脚转在前，实脚转在后而已。”这种模糊说法值得探讨，更不能成为“实脚扣转”练法之依据。

其一，以 1928 年为分界的“杨公之拳”的“两个时期”是否就是指向“虚”“实”转脚的两个时期？1928 年的“分界”是否因为在《太极拳使用法》中改为“实脚扣转”之故？那么，六年后的《太极拳体用全书》再改为“虚脚扣转”是否要再做个“分界”？

其二，“翻阅十数年前之功架，又复不及近日”之言是杨澄甫公在《太极拳体用全书》中针对 1934 年的前十年所述，显然这里所言之“功架”似乎与“虚、实扣转”无多大关系，如果真有关系，那么，杨公在这里偏偏又把“实脚扣转”改为“虚脚扣转”是否应该视为对《太极拳使用法》的校正？

其三，我非常赞同“虚脚转和实脚转都是杨祖师传下来的练法”之说，但是从杨公口述三本书的次序来看，“虚脚转在前，实脚转在后”的定论只不过是停留在《太极拳使用法》的 1931 年而已。

杨澄甫公曾在《太极拳使用法》的传拳谱中列出“澄甫老师传”的传人 44 位，除了上面提到的陈微明，我们可以看看这些嫡传们是怎么理解的。

《太极拳使用法》中的“单鞭”为“实脚扣转”，曾编辑该书的董英杰先生在 17 年后所著的《太极拳释义》“4 式单鞭”中说：“由上式双手微上提……全身重心移到左腿……自身转回右方时。全身重心移回右腿。"

先从学与杨健侯先生，后拜杨澄甫先生为师的田兆麟在《合编》"八、单鞭"中写道："由前按式……全身重心先寄于左腿，后移于右腿。"与田兆麟有着相同学拳经历的是牛镜轩，由牛筱灵女士为其先父牛镜轩整理的《牛春明太极拳》（浙江科学技术出版社 1998 年 9 月版）第三式"单鞭"中写道："接按势，坐左腿，两手随腰胯往后松动。"由此可以看出，他们在"单鞭"的习练上，是由"实脚扣转"而最终改变为"虚脚扣转"的。

陈龙骧在《李雅轩杨氏太极拳法精解》"单鞭掌"中说："上身以腰脊领动向左转体，身体重心渐移左腿。"他在《李雅轩杨氏太极拳架精解》"四、支撑八面单鞭掌"中特别强调说："……先师的右脚尖是向内扣转的，就是说明一定重心移到左腿时，右脚尖才内扣，虚实一定要分清。"

崔毅士 108 式的"单鞭"练法亦是"虚脚扣转"，这在其孙崔仲三的太极拳著述和教学视频中可以看到。

于化行在《太极拳全书》（民众书店 1936 年 4 月版）第八式中说："由前式……全身重量徐徐移于左腿；同时，上身以腰作轴，两手向左转动。"

杨澄甫公的长子杨振铭和次子杨振基皆在 44 位传人中，田兆麟在《合编》中曾说："在继承杨家拳术方面，以振铭和振基的武艺较为精良。"杨振铭尽管没有著述留世，但是我们仍然可以在他 70 岁时的录影中看到虚脚扣转的练法。

杨振基先生在《杨澄甫式太极拳》（广西民族出版社 1993 年版）第三式"单鞭"中说："动作 18：重心移到左腿，右脚前掌稍离地，身体向后直坐，带动双手后移，两掌变坡掌手心斜向下。"在"单鞭"的"注意事项"中，杨振基先生指出："杨式太极拳在动作转换方向时，不是以实腿扭转的，要求实腿变虚后腰带虚腿转……没有独立的转脚掌（脚掌外撇、内扣）的动作。"他特别强调："这种两脚由实变虚，腰带虚腿脚掌转动的练法，贯穿到以后的动作中去。这种练法是杨家祖传。"

杨澄甫公的三子杨振铎和四子杨振国当时尚年幼，因此没被列为传人。

杨澄甫公1936年去世后，他们随母亲侯助清返回老家河北永年广府镇，在母亲的督促、教导下，跟兄弟们一起刻苦练拳，得到了很好的传承。杨振铎先生在《杨氏太极拳·剑·刀》（山西科技出版社1992年版）第四式“单鞭”动作一中说：“重心向后移坐左腿，使右脚掌微离地面。”并在“口诀”中强调“重心后移”。杨振国先生在杨式太极拳的教学片中也是使用虚脚扣转的教练法。

综上所述，关于“单鞭”是“虚脚扣转”还是“实脚扣转”的结论已经十分明确，并非如胡克禹先生所说“长期以来，在杨式传人中一直争论不休，甚至杨家门人、亲族传人说法也不同，各执其辞”。

我们还可以看看杨澄甫公其他弟子在著述中关于“虚脚扣转”的例证。

郑曼青先生在《自修新法》“单鞭”中说：“由前式，将重心移于左腿，屈膝坐实。”

吴志青先生在《太极正宗》（大东书局1936年版）中把“单鞭”启动式放在“揽雀尾”的第十一动式来解：“两手腕下弯，同时腰胯向左扭转……同时左脚由直而变曲，右脚由曲而伸直，成左弓势。”

在由傅钟文先生演述、周元龙先生笔录的《杨式太极拳》（人民体育出版社1963年版）一书中，“第四式单鞭”动作一的第一句就是“重心渐渐移于左腿”。奚桂忠先生在《释疑》中说：“根据傅师（傅钟文）的遗言……（图18）是虚脚转，应改为实脚转。”胡克禹先生在《原则》一文中说的更为详细：“《杨式太极拳》一出，即引起了虚脚碾转的‘十八图风波’。因为傅钟文老师平时教学生都是实脚转换，而且经常强调实脚转的好处。而书中的十八图却画成了虚脚转换，傅老师发现这个问题后，寝食不安，怕此书广泛发行流传而误人子弟，并影响杨家太极拳以至杨澄甫的声誉，就主动联系负责审校的顾留馨，慎重提出要求更正。然而此书因种种原因而未能纠正，这成了傅老师的一块心病。”如果参照杨澄甫的《太极拳体用全书》中的“单鞭”习练要求，傅老师根本无须“寝食不安”，“虚脚扣转”既没“误人子弟”，也不存在“影响杨家太极拳以至杨澄甫的声誉”之说。值得一提的是，至今我们仍然可以在视频中见到傅钟文先生晚年演练的传统杨式85式太极拳的几个版本中，均是采用“虚脚扣转”的练法，由此可见，上述两位的说法仅为一家之说。

《杨式太极拳正宗》(三秦出版社1992年版)一书的著者为赵斌、赵幼斌和路迪民三位先生，在“第四式单鞭”中的讲解是“实脚扣转”：“以右脚跟为轴，右脚尖微翘，尽量内扣约135°，重心仍在右腿。”不过，我们仍然可以在赵斌先生晚年的视频中，看到身体后移的“虚脚扣转”的习练拳架。

何谓“原则”？原则是观察问题、处理问题的准则，只有正确反映事物的客观规律的原则才是正确的。在“单鞭”习练中，“虚脚扣转”和“实脚扣转”本来都是杨家太极拳从创始到定型过程中的组成部分，杨澄甫公在拳架定型的过程中也经历了“虚脚扣转”——“实脚扣转”——“虚脚扣转”的调整过程，可以想象他的弟子们也会在学拳过程中的不同时期受到两种扣转的教授。根据以上摘录，可以窥见老一辈传人都视杨澄甫公的最后定型架“为正范”，遵循着“虚脚扣转”的准则来进行习练与传授。

其实，主张“实脚扣转”能练腿力也好，认定“虚脚扣转”不伤膝盖也罢，是在具体运用中随机应变的技术问题，如果作为养生来习练，可以根据个人不同的具体情况而定，练舒服了就好，练别扭了就改，改变的是方法，不变的是传承。只是，别拿“原则”来说事。

在李庆荣先生的《浅释》一书中，对杨澄甫先生拳架的“准绳”是以王志远先生、奚桂忠先生(师门傅钟文)、庞大明先生(师门赵斌)、顾留馨先生(没有传承)、玉昆子(学于祖父韩其昌，与杨澄甫太极拳无关)等人来进行“旁证”的，这不免有失权威。应该说，要诠释“杨澄甫式太极拳”最有说服力的就是杨澄甫先生的弟子们，其中留有太极拳著作的有田兆麟、董英杰、牛镜轩、陈微明、崔毅士(崔仲三著)、李雅轩(陈龙骧著)、杨振基、于化行、杨振铎等，而这些杨氏太极拳家的著作却没作为“准绳”，鲜见于“旁证”，因此，这本对杨澄甫太极拳的《浅释》其实质只是杂说。

李雅轩先生在“单鞭”页上的眉批：“此势不说往左虚带对手之来手，亦不说钩手之往右钩挂之作用，不知何意？以上不合理之动作，皆出自郑曼青弟之自造，未随时请教吾师之故也。”

关于左手和右钩挂的作用，郑曼青先生确实没有提及。田兆麟在《合编》的用法中说：“人左拳击到左胸部，己以左手分开，按其左肩。人右拳击己右胸部，己右手勾开，以右手腕背（或拳）攻其胸口。”崔仲三在《图解》的用法中说：“对方从左后上打来，我即转手用左採手化解……用勾手勾挂对方的进攻，用勾背进击对方下颌和胸部，以左云掌进击对方脸面。”

眉批中“皆出自郑曼青弟之自造”为感叹，“未随时请教吾师之故”为对先师之尊重。无可非议。

② 此处遗漏句读，应为逗号。

第七节 提手上式

图 7　提手上式

由前势。设敌人自右侧来击，我即将身由左向右侧回转，左足随向右侧移动。右足提起向前进步，脚跟点地，脚尖虚悬。全身坐在左腿上，胸含背拔，松腰[1]眼前视。同时，将两手互相往里提合，是为一合劲。右手在前，左手在后，两手心左右相向。两腕提至与敌人之肘腕相唧[2]接时，须含蓄其势，以待敌人之变。或即时将右手心反向上，用左手掌合于我右腕上，挤出亦可。身法步法，与挤亦有相通处。（图 7）

注释

①此处遗漏句读，应为逗号。

②啣：《正版》勘误表："啣"为"衔"之误，其实两字为通用，均为"连接"之意。

按：李雅轩先生在"提手上式"页上的眉批："此势只说挤之作用，未说提手之提的作用。又本为左脚实，右脚虚，是一虚含化之意思，亦未说及。若曰合劲之作用，不当两脚一虚一实也。此皆是曼青学拳未久，不懂拳意，自己想造而来。"

金仁霖老师认为："此节眉批中提出的'若曰合劲之作用，不当两脚一虚一实也'，则合劲自然不可能两脚皆虚，定必是两脚皆实的了。这个合劲的概念值得爱好者商榷。"

"提手上式"是应付对手从右面来袭而用"提劲"拔起对方，使其失去根基的招式，如果对手见状回撤，那么，顺应变化而使用"挤劲"进击则更为有效。如果对方来袭，击我肋部，我用"提手下式"以双肘压住对方双臂，并撤步后引，使其失却重心也不失为有效招法。《太极拳使用法·对敌图》中说："提手用法有二，提上打、沉下打皆可也。"董英杰的《太极拳释义》中说："如若双手自单鞭式往下合劲，不作提手寓提上意，为提手寓上式。"田兆麟归纳"提手上势"用法有六，其中包含掤、搓、採、搌、闪、挤、踢、撅等招法。此所谓"一手变五手"也。太极拳在实战中，招式运用并非一成不变，所谓"灵则动、动则变"，"掌""拳"之变、"蹬""踩""踢"之变、"上势""下势"之变等等的瞬息转换，往往是赢取对手的重要因素。在对练或实战中根据实际情况，能灵活多变地使用合理招式的拳者，往往能反映出其所具备的技击素质，即反应能力、动作速度和功力深厚。

眉批所说"此皆是曼青学拳未久，不懂拳意，自己想造而来"，亦非有诋毁之意。据"郑序"可知，自郑曼青学拳至整理《太极拳体用全书》，的确时间不长。

第八节 白鹤晾翅

由前势。设敌人从我身左侧，用双手来击。我速将右脚收回，即提起直前蹈出，稍屈坐实，身随右脚同时转向左方正面，左脚移至右脚前，脚尖点地。左手心同时合于右手肘里，沈下至腹时，右手随沉随起，提获[①]至右头角上展开，右手心向上侧。左手急往下，从左侧向下展开至左胯旁，手心向下，则彼之力即分散而不整矣。（图 8）

图 8 白鹤晾翅

注释

① 获：《正版》勘误表："获"为"护"之误植。

按：白鹤亮翅，旧称"白鹅亮翅"。陈鑫《陈氏太极拳图说》（开明印刷局 1933 年版）中，有关于对"白鹅亮翅"释名的七言俚语两首："闲来无事看白鹅，右翅舒展又一波。两手引来委峰势，奚殊秋水出太阿。""元气何从识太和，右碾两手弄秋螺。北方引进神机足，亮翅由来有白鹅。"并加注赞颂云："人之涵养，元气如鹅，伏而不动，以养精神。"现称的"白鹤亮翅"最早见诸许禹生的《太极拳拳势图解》（京城印书局 1921 年版）的"白鹤亮翅式"："此式分展两臂，斜开作鸟翼形。两手两足，皆一上一下，一伸一屈，如鹤之展翅故名。华佗五禽戏之鸟形，婆罗门导引术第四式之鹤举、第十二式之凤凰展翅，闽之鹤拳均取此意也。"吴文翰在《武派太极拳体用全书》（北京体育大学出版社 2001 年版）中，对"白鹤亮翅"的式名作了比较妥贴的解释：“本势旧名‘白鹅亮翅’。后人认为鹅呆头呆脑，步履蹒跚，不如白鹤翱翔长空，飘逸潇洒。又鹤是长寿之禽，从而易名‘白鹤亮翅’”。另有称为“白鹤晾翅”的（见《太极拳体用全书·第八节》），“晾”的意思仅为“把东西放在通风或阴凉的地方使干燥”，“亮”则为“显露、高洁”之意，与拳式更为贴切，因此已被广泛使用。

本式技击用法未详，在《太极拳使用法·对敌图·白鹅亮翅用法》中为：“身法再往上长，往外掤劲将乙打出”。

第九节 左搂膝拗步[①]

图9 左搂膝拗步

由前势。设敌从我左侧中、下二部，用手或足来击。我将身往下一沉，实力暂寄于右腿。左足即提起向前踏出一步，屈膝坐实，右足亦随之伸直。左手同时转上至右胸前向左外往下，将敌人之手或足搂开。右手同时仰手心垂下，直往后右侧轮转旋上至耳旁，张掌，手心朝前，沉肩坠肘，坐腕松腰前进，眼神亦随之前往，向敌人之胸部按去。身手各部须合成一劲，意亦扬长前往，便为得力。（图9）

注释

① 拗步：拗，同“拗”，不顺畅之意。在太极拳架势中，凡左足在前而出右手状，或右足在前而出左手状，皆称为“拗步”。后同，不另注。

按：“我将身往下一沉”三句：太极拳所要求的“松”，其目的就是为了“沉”，“沉”是实现轻灵、稳定的前提，只有能“沉”，才能不轻易被人牵动。有拳家比喻得好：一个空纸杯很容易被碰倒，若杯中盛了水就不易被碰倒了；又如吊塔只有在塔基沉稳的情况下，吊臂才能灵活转动。由此可见，“将身往下一沉”就是为了让下肢承担体重，使“实力暂寄于右腿”就是以一足承担全身重量，即杨澄甫先生所说的“偏沉”。达到这样的“虚实分明”，就能使“左足”轻灵自如地“提起向前踏出一步”。“向敌人之胸部按去”句，在《太极拳使用法·对敌图·搂膝拗步用法》中为：“直往乙胸前拍去”，“伸指掌拍乙胸前，要掌心去劲”。按，按击。拍，拍打。两者之用意，阅者自能细辨。

第十节 手挥琵琶式

由前势。设敌人用右手来击我胸部，我即含胸，屈右膝坐实。左脚随稍往后提，脚跟着地，收蓄其气势。右手同时往后收合，缘彼腕下绕过，即以我之腕黏贴彼之腕，随用右手拢合其腕内部，往右侧下採捺之。左手亦同时由左前往上收合，以我之掌腕，黏贴彼之肘部，作抱琵琶状。此时能立定重身[①]，左捌右採，蓄我之势，以观其变。故谓之手挥琵琶也。（图 10）

图 10　手挥琵琶式

注释

① 身：《正版》勘误表：“身”为“心”之误。

按：“蓄我之势，以观其变。”此句为以静待动之态势。在《太极拳使用法·对敌图·手挥琵琶用法》中则为欲将对方提起拔空：“甲指掌俱要伸开，手心用力，将乙膊托直，将乙的前足尖提起，使乙不得力也。”

李雅轩先生在“扇通背”页上的眉批：“此势明明是往后虚挂，以空彼之来劲的作用。今说捺、说㓷，显见我手又抓有提，太不老实，与太极拳之虚领玄妙不合，此皆曼青之弄错耳。”

对照《太极拳使用法》之说明：“由前势。设敌人用右手来击或按我胸部。（我即）含胸，屈（右）膝坐实，左脚随往后稍提，脚跟着地，脚掌虚悬，右手同时往后合收，缘彼腕下绕过，即以我之腕黏贴彼之腕，随用（右）手拢合其腕内部，往右侧下採捺之。左手亦同时由左往前往上合收，以我掌腕中（间）黏贴彼之肘部，往右分错之，或两手心前后侧相映，如抱琵琶状，蓄我之势以观其变。”

第十一节　左搂膝拗步

此式与上第九节用法说明同。（图 11）

图 11　左搂膝拗步

第十二节 右搂膝拗步

此式亦与上第九节动作用法说明同，惟将左右动作一更易便是，故不赘，可参阅上节，自能领会。（图 12）

图 12 右搂膝拗步

第十三节 左搂膝拗步

用法与说明同上。（图 13）

图 13 左搂膝拗步

第十四节 手挥琵琶式

同上第十节。（图 14）

图 14 手挥琵琶式

第十五节 左搂膝拗步

用法说明同上。（图 15）

图 15 左搂膝拗步

第十六节 进步搬拦捶

图 16 进步搬拦捶

由前式。设敌人用右手来击，我即将左足微向左侧分开，腰随往左拗转，左手即往后翻转至左耳边，手心向下，右手俯腕，随转至左胁[1]间，握拳。翻腕向右转腰，右拳随之旋转至右胁下，此谓之搬。同时提起右脚侧右踏实，松腰胯沈下，左手即从左额角旁侧掌平向前击，谓之拦。左足同时提起踏出一步，坐实，右足伸直，右手拳即随腰腿一致向前打出。然此拳之妙用，全在化人击来之右拳。先以我之右手腕，黏彼之右手腕，从左胁上搬至右胁下。其时。恐敌人抽臂换步，即将左手直前随步追去，寓有开劲。拦其右手时，即速将我右拳，向敌胸前击去，则敌不遑避，必为我所中。此拳之妙用，所以全在搬拦之合法也。（图 16）

注释

① 胁：从腋下到肋骨尽处的部分。

第十七节 如封似闭

由前式。设敌人以左手握我右拳，我即仰左手穿过右肘下，以手心缘肘护臂，向敌左手腕格去。如敌欲换手按来，我即将右拳伸开，向怀内抽析[1]，至两手心朝里斜交，如成一斜交十字封条形，使敌手不得进，犹如盗来即闭户，此谓之如封之意也。同时含胸坐胯，随即分开，变为两手心向敌肘腕按住，使不得走化，又不得分开，此谓之如[2]闭，如闭其门不得开也。随急用长劲，照按式按去，眼前看，腰进攻，左腿屈膝坐实，右腿随胯伸直，合一劲，向敌击去，此为合法。（图 17）

图 17 如封似闭

注释

① 析：《正版》勘误表中误为“析”，应为“折”之误。

② 如：《正版》勘误表：“如”为“似”之误。后“如闭”同此。

按：此式中“随急用长劲，照按式按去”两句，在《太极拳使用法·对敌图·如封似闭用法》中则为：“双手按劲往前推去。”按含内劲之意，推则多为拙力，两者意不相同，阅者自能细辨。

第十八节　十字手

图 18　十字手

由前式。设有敌人，由右侧自上打下，我急将右臂，自右向上大展分开，身亦同时向右转，左脚与右脚合，两手由上分开，复从下相合，结成一十字形。全身坐在左脚，右脚即提起，向左收回半步，两脚直踏，如起式。此一开一合劲也。际我用开劲分敌之手时，正恐敌先我乘虚由我胸部袭击，故我即结两手成一合劲。其时手心朝里，将敌之臂部棚[①]住。如敌变双手按来，我即用双手将敌手由内往左右分开，手心朝上或向下均可。惟结成十字手时，同时腰膝稍松，往下一沉，则敌所向之力，即自散失不整矣。（图 18）

注释

① 棚：《正版》勘误表："棚"为"掤"之误。

第十九节　抱虎归山

由前式。设敌人向我右侧、后身迫近击来，未遑辨别其用手，或用脚时，急转腰分开两手，踏出右步，屈膝坐实，左腿伸直，右手随腰向右方敌人腰间搂去，复抱回，左手亦急随之往前按。故右手先用覆腕搂去，旋用仰掌收回，如作抱虎式。倘敌人手脚甚快，未能为我抱住，但仅为我搂开或按出，则彼复换左手击来，我即用搌势搌回。故下附揽雀尾三式，搌挤按同上。（图 19）

一 抱虎归山搌式（图 20）

二 抱虎归山挤式（图 21）

三 抱虎归山按式（图 22）

图 19 抱虎归山

图 20 抱虎归山搌式

图 21 抱虎归山挤式

图 22 抱虎归山按式

注释

按：此式所述用法有二，一为“向右方敌人腰间搂去，复抱回”，二为“即用攌势攌回”，再以“挤”“按”应之。在《太极拳使用法·对敌图·抱虎归山用法》中则是，一为右转身后用左搂膝拗步之势击打，二是“再用右膊拗抱敌人之身腰擒起，犹如壮士捉虎归山之势”。此式转身后用法多变，田兆麟的《合编》中有用“左掌横掴其面部”，右手随后“击其头部……同时以右肱掤击之”。一手变五手，一切皆视情而变之。

第二十节 肘底看捶

由前势。如敌人自后方来击，我即转身，其动作如上单鞭转身式，可参用。迨[①]身将翻转正面时，左脚直向正面踏实，右脚即偏向右前，踏出半步。坐实时，则左脚提起，脚尖翘起，两手平肩，同时随身向左转，此时即用左手腕外平接敌人右手腕，向右推开，至其失却中定时，即将左手指下垂，缘[②]彼腕间，向内缠绕一小圈。右手同时向左，与其左手相接，自上黏合，则彼之左右手都处背境，而失其所向。我即将左腕，抑其右腕，右手急握拳，转至左肘底，虎口朝上，以宿[③]其势，向机而发，未有不应声而倒。此之谓肘底看捶也。（图 23）

图 23　肘底看捶

注释

①迨：音dài，待到、趁。

②缘：顺着。

③宿：《正版》勘误表："宿"为"蓄"之误。蓄：此处为控制、锁定之意。

按：此式"右手急握拳，转至左肘底，虎口朝上，以宿其势，向机而发"中漏缺右手的攻击部位。在《太极拳使用法·对敌图·肘底看捶用法》中为："随用右拳打乙右胁。"田兆麟《合编》的此式中用法有三：①当两手均被对方封闭时，"左掌扑其面部，或叉其喉部，右拳同时攻击彼胸口"。②用左手托起对方打来之右手，"用右拳击彼胸口或肋部"。③用左手控制对方打来之左手，"右手还击彼左太阳穴"或"攻其下颌"。

第二十一节　倒撵猴

图24　倒撵猴

由前式。设有敌人用右手，紧握我手左腕，或小臂间，倘又以左手托住我肘底拳，则我先受其制，不得施展，时即翻仰左掌[1]，用沈劲松腰胯，向左后缩回，左脚亦退后一步，屈膝坐实，右脚变虚，则敌之握力顿失。右手同时向后分开，至其失却握力时，急向前按去。此式虽然倒退一步，仍可撵去敌劲。故谓之倒撵猴，其要尤在松肩沈气也。（图24）

注释

①“不得”两句：误植在逗号后。两句为“不得施展时，即翻仰左掌”，见《正版》勘误表。

按：“急向前按去”，田兆麟在《合编》中谓“随势扑击其面部”。

在《太极拳使用法·对敌图·倒撵猴用法》中说道，倒撵猴是破对方“进步拉钻锤”之招式的，如右拳以直拳打来，右足进一步，随后左拳以直拳打来，左足进一步，以此连续左右进击，犹如形意拳中之劈拳，谓“进步拉钻锤”。

第二十二节 倒撵猴

附左右倒撵猴同一意，其身法步法，及姿势皆相似。练法退三步、五步、七步均可，但以右手在前为止。（图 25）

图 25　倒撵猴

第二十三节 斜飞式

由前式。如敌人自右侧，向我上部打来，或用力压我右臂腕，我即乘势往下沉合蓄劲，随即将右手向右上角分展，用开劲斜击。同时踏出右步，屈膝坐实，似成一斜飞式，其用意亦须称其势也。（图 26）

图 26　斜飞式

注释

按：此式右手动作为“向右上角分展，用开劲斜击”。《太极拳使用法·对敌图·斜飞式用法》中右手为“如大鹏展翅，往斜上方挒去”。可见“开劲斜击”为挒劲。

第二十四节 提手

同上第七节。（图 27）

图 27 提手

第二十五节 白鹤晾翅

同上第八节。（图 28）

图 28　白鹤晾翅

第二十六节　搂膝拗步

同上第九节。（图 29）

图 29　搂膝拗步

第二十七节 海底针

图 30 海底针

由前式。设敌人用右手牵住我右腕，我即屈右肘坐右脚，转腰提回。手心向左，脚亦随之收回，脚尖点地。如敌仍未撤[①]手，更欲乘势袭我，我即将右腕顺势松动，折腰往下一沉，眼神前看，指尖下垂，其意如探海底之针。此时虽欲採欲战，皆往复成一直力，不意为我一挫，则其根力自断，便可乘虚进击也。（图 30）

注释

① 撤：《正版》勘误表：“撤”为“撤”之误。撤手为收回之意。撤手为放开之意。其意不同。

按：此式中，“右腕顺势松动，折腰往下一沉”仅为体表之述。《太极拳使用法·对敌图·海底针用法》中先明内蓄“身足往回缩劲”为开弓之备，后述“右手用力往下伸肱直送下”为放箭之用。

第二十八节 扇通背

由前势。设敌人又用右手来击，我急将右手由前往上提起，至右额角旁，随将手心向外翻，以托敌右手之劲。左手同时提至胸前，用手掌冲开，直劲向敌胁部冲去。沉肩坠肘、坐腕、松腰。左脚同时向前踏出，屈膝坐实，脚尖朝前，眼神随左手前看。右腿随腰胯伸劲送去，其劲正由背发，两臂展开，欲扇通其背，则所向无敌矣。（图 31）

图 31　扇通背

注 释

按：李雅轩先生在“扇通背”页上的眉批：“扇通背之为名，毫无讲法。”

第二十九节 撇身捶

由前式。设敌人自身后脊背，或胁间用手打来，我即将左足向右偏移转坐实，右足变虚，腰随转向正面，右手同时即握拳，暂于左胁腋间一驻，左手心朝上合护左额角，即时右拳由上圆转撇[①]去，交敌之手由右胁侧间用沉劲叠[②]住，同时左手由左侧，急向敌人面部击去，则敌必眼花失措矣。（图 32、图 33）

注 释

按：“暂于左胁腋间一驻”句：驻，停留。自上式扇通背，右掌随右转身变握拳，划直圆下落至左胁部即自上而下向对方按打，中间一气呵成并无停留，《太极拳使用法·撇身捶用法图》中的叙述较为合理：“右手同时由上圆转向右肋侧落下，随握拳，用腕部外面，手心朝上，将敌右手腕叠住。”此处“一驻”为误用。

①撇：扔出去。撇身，转过身去。撇身捶，转过身去用拳按压或捶打。此处用“撇”字作技击手法为误用。

②叠：叠加，此处引申为“按压”。

图 32　撇身捶之一

图 33　撇身捶之二

第三十节　进步搬拦捶

用法同上第十六节。（图 34）

图 34　进步搬拦捶

第三十一节 上步揽雀尾

攌挤按，参阅第三节、第四节及第五节。（图 35）

图 35 上步揽雀尾

第三十二节 单鞭

同上第六节。（图 36）

图 36 单鞭

第三十三节 云手[1]

由前势。设敌人自前右侧用右手击我胸部或胁部，我即将右手落下，手心向里，即以我之腕上侧，与敌之腕下相接，由左而上，往右旋转，复翻下向左行，划一大圆圈，如云行空绵绵不绝。左手同随落下，手心向下，随往下向上翻出，与右手用意同。身亦随右手拗转，眼神亦随手腕看去，旋转照应。右足往右侧往左移动半步坐实，左足亦即向左踏出一步，成一骑马式。此时两手上下正行至胸脐相对，则右脚又变虚，向左移入半步，则续行为第二式。惟变化虚实交互旋转时，万不可露有凹凸断续之意。此式之妙用，全在转腰胯，然后可以牵动敌之根力，应手翻出，学者其细悟之。（图 37）

图 37　云手

注释

①云手：《太极拳使用法》中为“抎手”，陈鑫《陈氏太极拳图说》、牛春明《牛春明太极拳》作“运手”，武式作“纭手”，杨式有称为“均手”“匀手”或“抎手”。“运”“纭”“匀”“抎”，字义各异，而古今读音相同，名同字异的原因是口授时所误，或转抄时笔误所致，也不排除各拳派根据自身理解而作出改动。若仅凭式名来求解其动作之意义，确定其动作之规范，则恐怕涉入牵强之谬误。

按：此式文字中用法为“牵动敌之根力，应手翻出”。《太极拳使用法·对敌图·云手用法》为“领进落空”。田兆麟在《合编》中说：“人手袭来，己手掤化，随手按去。或一手掤化，另一手以掌击之。”在崔毅士亲传、崔仲三编著的《杨式太极拳体用图解》（以下简称《图解》）中说：“右臂的逐渐内旋翻转掌心向外，其劲力为‘掤劲’。由左腹前到左肩前时，力贯掌指为‘抄裹劲’。劲力变化过程是掤劲—掤按劲—掤劲—抄裹劲，左右相同。”阅者自能细辨。

第三十四节 单鞭

同上第六节。（图 38）

图 38 单鞭

第三十五节 高探马

图 39 高探马

由单鞭式。设敌用左手，自我左腕下绕过，往右挑拨，我随将左手腕略松劲，手心朝上，将敌腕叠①住，往怀内採回，如上图。左脚同时提回，脚尖着地，松腰含胸，右膝稍屈坐实。同时急将右手由后而上圆转向前，往敌人面部，用掌探去。眼前看，脊背略耸有探拨前进之意。（图 39）

注释

① 叠：重叠、折叠。疑为“抵”或“扣”之误。《太极拳使用法·对敌图》中为：“扣住乙左手腕”。

按：上述此式用法为“（右手）往敌人面部，用掌探去”。探，为“寻求、看望、打听”之意，不作攻击解。《太极拳使用法·对敌图·高探马用法》为“右掌自外方伸打乙面。”打，才是攻击。田兆麟在《合编》中说：“右掌扑击其面部。”一字之差，其意完全不同，阅者自能细辨。

第三十六节 右分脚

由前势。设敌人用左手，接我探出之右腕，我随用右手腕，压住敌之左肘，垂肘沉肩，即将敌左臂向左侧搬回。同时左手粘住敌人左腕，手心向下暗施採劲。左脚同时向前左侧迈去半步，坐实，腰向左斜倚，随将右脚提起，脚尖与脚背，平直向敌人左胁踢去。同时两手掌侧立，向右左①平肩分开，以称分脚之势②。眼亦随右手看去，含胸拔背，定力自足，则敌势不能自支矣。（图 40）

右分脚搬式（图 41）

图 40　右分脚

图 41　右分脚搬式

注释

① 右左：《正版》勘误表："右左"为"左右"之误。

② 以称分脚之势：称，同"秤"，此处为平衡之意。

按：田兆麟在《合编》中认为，无论是蹬脚还是分脚，两手左右打开之前手须有"假扑其面部"之意，以防对方搂抱踢出之腿。故有"出手在先，出脚在后"之说，此为上虚下实之术。

第三十七节 左分脚

左分脚搬式（图 42）

左分脚（图 43）

与上右式同一用法。惟左右稍自移易便是。

图 42　左分脚搬式

图 43　左分脚

图 44　转身蹬脚

第三十八节 转身蹬脚

由左分脚式。设敌人自身后用右手打来，我即将身向左正方转动，含胸拔背、松腰，尤须虚灵顶劲。左腿悬提，随腰转时，脚尖垂下。右脚立定时，左脚即向敌腹部用脚跟蹬去，脚指朝上。两手随腰转动时，由外往内合，随左脚

蹬出时，掌即向左右侧立，平肩分开，眼神随左指尖望去，立定根力，则敌必应腿自仰矣。（图 44）

第三十九节 左搂膝

同上。（如图 45）

图 45 左搂膝

第四十节 右搂膝

同上。（如图 46）

图 46　右搂膝

第四十一节　进步栽捶

图 47　进步栽捶

由前式。设敌又用左腿踢来，我即用右手顺敌腿势由左搂去，则敌必往左仆，我即将左足同时向前一步追去，屈膝坐实，右手随握拳，向敌腰间或脚胫捶去皆可，是为栽捶。其时右腿伸直，腰胯沉下成平曲形式，胸含，眼前看，尤须守我中土为要。（图 47）

注释

按：此式中栽捶的打击部位为“向敌腰间或脚胫捶去皆可”，脚胫，指小腿。《太极拳使用法·对敌图·进步栽捶用法》中说的更明确：“往下直打乙踢腿七寸骨。”七寸骨，也称小腿骨，包括胫骨和腓骨，老百姓俗称的

"迎面骨"或"七寸骨"，是小腿的主要负重骨。胫骨位于小腿内侧，向内侧和外侧突出的部分，称内侧髁和外侧髁，两髁的上面各有一关节面与股骨相接。胫骨体的前缘锐利，直接位于皮下。又没有肌肉包裹，是典型的"皮包骨"，当受到击打时，非常容易导致骨折或挫伤。

第四十二节 翻身撇身捶

由前势。设又有敌人自身后用拳击来，我即将身由右往后翻转，左脚坐实。右腿向前提起踏出半步，右拳同时提起，向后正面撇[①]去。拳背向下沉，或将敌肘叠住，或暗用採劲皆可。左手同时随右拳向敌面部用掌捌去，以助右拳撇势，身须随即进展为得势也。（图 48、图 49）

图 48 翻身撇身捶一

图 49 翻身撇身捶二

注 释

① 撇：碰触、击打。

第四十三节 进步搬拦捶

同上第十六节。（图 50）

图 50 进步搬拦捶

第四十四节 右蹬脚

图 51 右蹬脚

由前势。设敌人用左手将我右臂向左推出，此时将我[①]右腕顺势由敌人手腕下缠绕，自右往左挒开，两手分开与脚相称，腰胯沈下，眼神随往前看。同时将右脚向正面蹬出，左脚尖同时向左稍转，坐实，身亦往随[②]左转入正面。（图 51）

注释

① 将我：为“我将”之误。

② 往随：为“随往”之误。

按：此段叙述顺序颠倒，应该是“身”先“往左转入正面”，“左脚尖同时向左稍转，坐实”之后，再“将右脚向正面蹬出”。

此式中仅说“将右脚向正面蹬出”，《太极拳使用法·对敌图·右蹬脚用法》为“飞起右脚直踢乙胸前”。同时有“如蹬人不可用劲”之告诫。

第四十五节 左打虎式

由前式。设敌人由左前方，用左手打来，我将右足落下，与左足并齐，左右手随向左侧转，左脚往后踏出，屈膝坐实。右足变为虚，略成斜骑马裆式，面向侧正方。两手同时荡拳随落随往左合，即用右拳将敌左腕扼住，往左侧下採，至与心部相对。左拳由左外翻上，转至左额角旁，手心向外，急向敌人头部或背部打去。此式以退为进，忽开忽合，意含凶猛，故谓打虎式也。(图 52)

图 52 左打虎式

注释

按：“左脚往后踏出”一动有错，此式拳照为两脚平行。田兆麟在《合编》中说：“左足向左侧踏出一步”，陈微明在《太极拳术》中说：“左足同时向西（即向左）横移”，此两说与杨澄甫拳照相符。董英杰在《太极拳释义》中说：“左脚向左斜方上步弓腿”则与“往后踏出”正相反。由此可见，郑曼青“往后踏出”之说为误记。

第四十六节　右打虎式

图 53　右打虎式

由前式。设敌人自后右侧，用右手打来，我即将右足提起，向右侧迈去，屈膝坐实，略成右胯[①]马式。腰随之往右侧前方拗转，左腿变虚，两拳同时随往右圆转，成右打虎式。与左同一用法，希参用之。（图 53）

注释

①胯：《正版》勘误表：“胯”为“跨”之误。

按：“将右足提起，向右侧迈去”一动有误，而此式拳照为左脚在前（西北方）、右脚在后（东南方）。此段文字在动作前后顺序的叙述上有颠倒。右脚在未转身之前即“向右侧迈去”（正东方），和“腰随之往右侧前方拗转”后再“向右侧迈去”（东南方）之方位就大不同。应该为“腰随之往右侧前方拗转”后，再“将右足提起，向右侧迈去”。如崔仲三的《图解》中说，“身体继续向右转”，“右腿提起向右前（东南方）迈出”，此说与杨澄甫拳照相符。

第四十七式 回身右蹬脚

与第四十四节同，左右方向稍自移易可也。（图 54）

图 54 回身右蹬脚

第四十八节 双风贯耳

由前势。设敌人自右侧，用双手打来，我即将左脚尖稍向右移转立定，右脚同时向右侧悬转，膝上提，脚尖垂下。身同时随转至左正隅角，速将两手背由上往下，将敌人两腕往左右分开叠住，随将两手握拳由下往上，向敌人双耳用虎口相对贯去，右脚同时向前落下变实，身亦略有进攻之意方可。（图 55）

图 55 双风贯耳

注释

按：双风贯耳，有作“双峰贯耳”“双封贯耳”。“双风”者，喻双拳速度激如飓风；“双峰”者，喻双拳力度如山峰夹击；“双封”者，喻双拳左右封闭圈打，虽音同字异，而其意一致。贯，在动词状态时，意为“通”“穿”，本不作技击字义解。在此通义为“掼”，两拳钳状，以掼击敌双耳，所谓形到意到。

第四十九节 左蹬脚

由前式。设有敌人自左侧胁部来击，我急用左手将敌右手臂[①]粘住，由里往外挒开。右足在原地向右微有移动，左足同时往前提起，向敌胁腹部蹬去。余与转身蹬脚同。（图 56）

图 56 左蹬脚

注释

① 臂：《正版》勘误表：“臂”为“背”之误。

按：李雅轩先生在“左蹬脚”页上的眉批：“我学拳时，此处是踢脚，不是蹬脚。”

第五十节 转身蹬脚

接前式。如有敌人从背后左侧打来，我急将身往右后正面旋转，左脚同时随身转时收回往右悬转，落下坐实，脚尖向前，此时右脚尖为一身转动之枢机[①]。两手合收随身至正面时，急用右手腕，将敌肘腕粘住，自上而下，向左捌出。右脚同时提起，向敌胁腹部蹬去，左右手随往前后分开。（图 57）

图 57　转身蹬脚

注释

① 枢机：比喻事物的关键。

第五十一节　进步搬拦捶

同上第十六节。（图 58）

图 58　进步搬拦捶

第五十二节　如封如[1]闭

同上第十七节。（图 59）

图 59　如封似闭

注释

① 如：《正版》勘误表："如"为"似"之误。

第五十三节　十字手

同上第十八节。（图 60）

图 60　十字手

第五十四节　抱虎归山

同上第十九节。（图 61）

图 61　抱虎归山

第五十五节 斜单鞭

斜单鞭式，与上单鞭同，惟方向斜向右前正隅二方向之间，故曰斜单鞭。（图 62）

图 62 斜单鞭

第五十六节 野马分鬃右式

图 63 野马分鬃右式

由前式。设敌人自右侧用按式按来，我即将身向右转，左足亦向右移动①，右足脚跟松回，脚尖虚点地，随用右手将敌左右腕粘住，略往左侧一松，用左手捌其右手腕，同时急上右足，屈膝坐实，左足伸直，随用右小臂向敌腋下分去，则其根力为我拔起，身即向后倾仰

矣。此时左手亦须稍从后分开，用沉劲以称[2]右手之势。（图 63）

注释

① 移动：内扣。

② 称：疑为“撑”字之误。称，音 chèn，作动词，其意为支着、支持。

按：此式中“右小臂向敌腋下分去”之句，“分”为“区别、划分”之意，此处为误用，应该为“掤”。《太极拳使用法·对敌图·野马分鬃用法》为“右手腕抬起掤乙膀根处，往斜上方用劲……向上方掤去”。田兆麟在《合编》中为“向右掤击之”。

第五十七节 野马分鬃左式

用意与右式同。方向稍自改易。（图 64）

图 64 野马分鬃左式

第五十八节 揽雀尾

同上。（图 65）

图 65 揽雀尾

第五十九节 单鞭

同上。（图 66）

图 66 单鞭

第六十节 玉女穿梭[①]

图 67 玉女穿梭

由单鞭式。设敌人从后右侧用右手自上打下，我即将身随左脚同向右方翻转[②]，右脚随即提回，落在左脚前，脚尖侧向右分开坐实。左手收回，合于右手腋下，随即护绕右大臂，穿过右肘，即用掤劲，向左前隅角[③]上翻[④]去，将敌之手腕掤起。左脚同时前进，屈膝坐实，右脚伸直，右手即变为掌，急从左肘下穿出，冲向敌之胸胁部击去[⑤]，未有不跌。此式左右手相穿，忽隐忽现，捉摸不定，袭乘其虚，故曰玉女穿梭，以喻其势之巧捷也。（图 67）

注释

① 玉女穿梭：此式为左玉女穿梭。

② “我即将”句：句中“身随左脚……翻转”无法说通。应该为“我即将左脚随身同向右方扣转”。

③ 左前隅角：设起势时身体面朝正南方，此式动作定势方向为西南方。

④ 翻：掌心翻转向上。

⑤ 击去：此为按劲。

第六十一节 玉女穿梭二[1]

图 68 玉女穿梭二

接前式。如敌人由身后右侧用右手劈头打来，我即将左脚往里稍转[2]，右脚同时向后右侧踏出一步，屈膝坐实。身随向后往右拗转，左脚变虚，急用右腕由敌右臂外粘住，往上右侧掤起，随将左手向敌右胁按去。余同上式。（图68）

注释

① 玉女穿梭二：此式为右玉女穿梭。

② 稍转：扣转。此式动作定式方向为东南方。

第六十二节 玉女穿梭三[1]

接前式。如敌从左侧用左手击来，我即将右脚尖稍向右分开[2]坐实，左脚提向左隅角[3]踏出坐实，手法与上第一式同。（图 69）

图 69 玉女穿梭三

注释

① 玉女穿梭三：此式为左玉女穿梭。

② 分开：外辗。

③ 左隅角：此式动作定式方向为东北方。

第六十三节 玉女穿梭四[①]

此式与上第二式同，惟玉女穿梭之方向[②]，正式[③]在四隅角[④]，万不可错误也。（图 70）

图 70 玉女穿梭四

注释

① 玉女穿梭四：此式为右玉女穿梭。

② 惟玉女穿梭之方向：此式动作定式方向为西北方。

③ 正式：指玉女穿梭四式的定势。

④ 四隅角：四角之谓，如《尔雅·释宫》所曰："西南隅谓之奥，西北隅谓之屋漏，东北隅谓之宧，东南隅谓之窔。"

第六十四节 揽雀尾

同上。（图 71）

图 71 揽雀尾

第六十五节 单鞭式

同上第六节。（图 72）

图 72 单鞭式

第六十六节　云手

说明与用法同上。（图 73）

图 73　云手

第六十七节　单鞭下势

单鞭同上。（图 74）

单鞭下势。（图 75）

由单鞭已出之左手时，如敌人以右手将我左手往外推去，或用力握住，我即将右腿稍向右分开，往后坐下①，左手②同时用圆活劲收回胸前。或敌用左手来击，我急用左手将敌左腕扼住，往左侧下採亦可。右腿与腰胯同时坐下。以牵彼之力。而蓄我之气。

图 74　单鞭同上

图 75　单鞭下势

注释

① 坐下：屈膝下蹲。

② 左手：左掌。

按：此式有两处被疏忽未叙：一为屈膝下蹲时，右勾手向右后方伸出，平举于身体右侧。二为左掌掌指朝前，沿左腿内侧向前穿出。如以后郑曼青在《自修新法》中所述："左手亦随之插下，缘足尖向前。"

图 76　金鸡独立右式

第六十八节　金鸡独立右式

由上式。如敌人往回拽[①]其力，我即顺势将身向前上攒[②]起，右腿随之提起，用足尖向敌腹部踢去。右手随之前进，屈肘，指尖朝上，以闭敌人之左手。此时左脚变实，稳立，右手随进时，或牵制敌人左右手亦可，不必拘执[③]。（图 76）

注释

① 拽：拉、牵引。

② 攒：集中、积攒，应为“站”之误。

③ 拘执：为拘泥固执的意思。

按：上述用法仅为“右腿随之提起，用足尖向敌腹部踢去。右手随之前进……以闭敌人之左手”，未免保守。在《太极拳使用法·对敌图·单下式金鸡独立用法》中对用法的介绍较为概括：“右膝盖随手起时，曲膝直顶乙小腹……起左手，起右手，均可随人所作，或用脚，或用膝，勿拘。”由此可见，金鸡独立在实战中，膝是主要攻击腿法，而非脚尖。田兆麟在《合编》中则对《太极拳使用法》有更明确的诠释：一为“右手闭其左手，同时以右膝攻彼小腹部”；二为“以右手背横击其头部……用右膝攻其裆部”；三为“右手假扑其面部……以右膝攻其裆部，彼后化，己用右脚踢之”。

在《太极拳使用法·对敌图·单下式金鸡独立用法》之后，有“迎面掌用法”介绍：“第三十二式 迎面掌用法 甲如高探马式，左手扣乙左手腕，如乙用力上挑，甲随将前右手回按乙膊，往回领劲，使乙前倾，同时左掌心向前由原处直搠乙面门。”

第六十九节 金鸡独立左式

由右式。设敌人用右拳打来，我右手沉下。速起左手托敌肘，提左腿。与右式同。（图 77）

图 77 金鸡独立左式

第七十节 倒撵猴

同上第二十一、二十二两节。（图 78）

图 78 倒撵猴

第七十一节 斜飞势

用法同上第二十三节。（图 79）

图 79 斜飞势

第七十二节 提手

同上第七节。（图 80）

图 80 提手

第七十三节 白鹤晾翅

同上第八节。（图 81）

图 81 白鹤晾翅

第七十四节 搂膝拗步

同上第九节。（图 82）

图 82 搂膝拗步

第七十五节 海底针

同上第二十七节。（图 83）

图 83 海底针

第七十六节 扇通背

同上第二十八节。（图 84）

图 84 扇通背

第七十七节 转身白蛇吐信

此式略与撇身捶同。惟第二式变掌用法，惟在手掌加沉劲耳。（图 85、图 86）

注 释

按：李雅轩先生在“转身白蛇吐信”页上的眉批：“前者为撇身捶，今者势同，所差者拳掌之分，自应名撇身掌，何有白蛇吐信之言哉。况拳势之命名，非像形则像意，今此式形即不同，意亦不像，如何亦说白蛇吐信哉。”

图 85　转身白蛇吐信之一

图 86　白蛇吐信

第七十八节 搬拦捶

同上第三十节。（图 87）

图 87　搬拦捶

第七十九节 揽雀尾

同上。（图 88）

图 88 揽雀尾

第八十节 单鞭式

同上。（图 89）

图 89 单鞭式

第八十一节 云手

同上。（图 90）

图 90　云手

第八十二节 单鞭

同上。（图 91）

图 91　单鞭

第八十三节 高探马带穿掌

图 92 高探马带穿掌

同上第三十五节可参阅，惟右手探出后即收回，手心朝下。左手稍提起穿掌向敌喉间冲去，右手仍藏在左肘下，以应变。（图 92）

注释

按：李雅轩先生在“高探马带穿掌”页上的眉批：“此势为白蛇吐信，形象意思皆相合，今曰穿掌何也?”

第八十四节 十字腿

图 93 十字腿

由前式。设敌人用右手牵住我之右手时，我即将右手抽开，至左手腋下，随将左掌向敌胸部冲去，成十字手形。其时设有敌自身后右边用右手横打来，我急将身向右正面拗转，左臂同时翻上屈回，与右臂上下相抱时，急将左右手向前后分开拦住敌手，同时急将右腿提起，用脚跟向敌右胁部蹬去，则敌必应腿跃出矣。（图 93）

注释

按：李雅轩先生在“十字腿”页上的眉批：“此式只是蹬脚的作用，应名转身蹬脚，其中并无十字形象，不应名十字腿也。”

在杨式太极拳传统套路中，“十字腿”该势包括两种练法。其一为“十字单摆莲”，有称为“单摆莲”或“转身单摆莲”的，即右腿就势向前扫踢时，左掌向前迎拍右脚面。其二为“十字腿”，即此式“说明”所叙，右腿向前蹬出，如同“转身右蹬脚”之式。在杨健侯所传“中架”套路中，此式练法为“单摆莲”。在杨澄甫所传“大架”套路中，原先练法为“十字腿”，后改为“单摆莲”，在崔仲三编著《杨式太极拳体用图解》中，记有崔毅士关于这一改动：“杨（澄甫）老师提到拳术套路中蹬脚的动作比较多，只有一个双摆莲动作，显得有些单调，变动一下，使得套路中前有单摆莲，后有双摆莲，不仅前后动作有相互呼应之意，而且也丰富了腿法的变化。”不过，在杨澄甫的弟子，如牛春明、董英杰、陈微明、李雅轩、杨振铎、曾昭然等人的拳著中，此式均练“十字腿”。自幼在杨家习拳的田兆麟在《合编》中说：“(单摆莲）斯种练法虽含有衬腿极佳用法，但无腰腿功夫者不易练习，故今人都改为上式（十字腿)。”顾留馨著《太极拳术》中亦记：“十字腿这个拳势，原来的练法是单摆莲腿，现在名称未改，仍是‘十字腿’，但练法改为右蹬脚的动作。这是当年杨澄甫老师南下到上海授拳，为了‘十字腿’练法对年老体弱者不能适应，就修订为右蹬脚的动作。”由此可见，在传统套路中，“单摆莲”和“十字腿”两种练法虽难易各异，应时应地应人而变动，但技击含义略同，因此，在套路习练中不作定规。

第八十五节 进步指裆捶

接前式。如敌人往回撤手时，我即将右足落下，同时左足前进，屈膝坐实。在此时设敌人再用右足自下踢来，我急用左手，将敌右足

往左膝外搂开，左手[1]随即握拳向敌裆部指[2]去，身微向前俯。（图 94）

图 94　进步指裆捶

注释

① 左手：“左手”为“右手”之误。

② 指：指向、指着，不作攻击手法。指裆捶的技击用法为“捶”击对方裆部，而非“指”向对方裆部。在《太极拳使用法·对敌图·进步指裆捶用法》中，击打对方部位为“丹田气海处”。田兆麟在《合编》中直言“惟击人裆部”。

第八十六节　上步揽雀尾

同上。（图 95）

图 95　上步揽雀尾

第八十七节 单鞭

同上第六十七节。（图 96）

单鞭下势同上。（图 97）

图 96 单鞭

图 97 单鞭下势

第八十八节 上步七星

图 98 上步七星

由前式。设敌人用右手自上劈下，我即将身向左前进，两手变拳，同时集合交叉，作七字形[①]。手心朝外掤住，向敌胸部用拳直击亦可。（图 98）

注释

① 七字形："字"，疑为"星"之误。

形，意指在定式时，头、肩、肘、手、胯、膝、脚七个出击点的分布位置犹如北斗七星，而得其名，也有称作“七星势”或“七星捶”的。

第八十九节　退步跨虎

由前式。设敌人用双手按来，我即将两腕粘在敌之两腕里，左手往左侧下方捌开，右手往右侧上方黏起，两手心随向外翻[①]，右脚随往后退一步，落下坐实，腰随往下沉劲。左足随之提起，脚尖点地，遂成跨虎形，使敌全身之力皆落空。此时则敌虽猛如虎，略一转动，便受我制矣。（图 99）

图 99　退步跨虎

注释

① 两手心随向外翻：在《太极拳使用法·对敌图·退步跨虎用法》中注明“此为开劲跨虎”。

第九十节　转身摆莲

由前势。设又有敌人，自我身后用右手打来，前后应敌于万急时，我即将右脚就原地，向右后方悬起左脚随身旋转。同时以两手及左腿用旋风势，以手脚向敌上下部刮去。复转至原位时，紧将敌右肘腕粘住，随绕敌之腕里，往左用擺带捌抽回，急用右脚背向敌胸胁

图 100　转身摆莲

部，用横劲踢去。脚过似疾风摆荡莲叶。所谓柔腰百折在[①]无骨，撤[②]去满身都是手。此功之奥妙，非浅学者所可领略也。（图 100）

注释

① 在：《正版》勘误表："在"为"若"之误。

② 撤：《正版》勘误表："撤"为"辄"之误。辄，总是，如《史记·项羽本纪》："楚挑战三合，楼烦辄射杀之。"

第九十一节　弯弓射虎

由前式。设敌人往回撤身时，我即将左右手随敌之手粘去，复绕过敌之手腕间，向右侧旋转，握拳从左隅角击去，左手同时沉在敌右肘部击去，右腿随往右落下坐实，右手辄向敌胸部击去。皆要蓄其势，腰下沉劲，略如骑马裆式，左脚变虚，如成射虎弯弓之势也。（图 101）

图 101　弯弓射虎

注释

按：此式的实战用法为：当对方的右掌用劲打来时，我用右手接住其右掌，同时用左掌贴扶其右肘部位，“用提劲往右高处粘提，将乙足根领活，然后用按劲向斜下打去”。

第九十二节 进步搬拦捶

同上第十六节。（图 102）

图 102 进步搬拦捶

第九十三节 如封似闭

同上第十七节。（图 103）

图 103　如封似闭

第九十四节　合太极[1]式

图 104　合太极式

由如封似闭，变十字手，两手分左右下垂，手心向下与起势式同，是名合太极。此为一套拳终了之时，学者尤不可忽略。合太极者，合两仪、四象、八卦、六十四卦，而仍归于太极。即收其心意气息，复全归于丹田，凝神静虑，知止有定，不可散失，以免贻笑于大方也。（图 104）

注释

① 合太极：返回“无极式”，为整个套路结束的动作姿势。

推 手

一 掤式

太极拳以练习推手为致用，学推手则即是学觉劲，有觉劲则懂劲便不难矣。故总论所谓“由懂劲而皆及神明”，此言即根于推手无疑矣。

下图掤、攦、挤、按四式，即黏、连、贴、随，舍己从人之定步推手。此图即兆清与大儿振铭合摄。

一 掤式

掤法向外，驾驭敌人之按手，使不得按至胸腹贴近，故曰掤。此掤字取意，与说文释义稍异。掤之方式，如图。左右同其用法，最忌板滞[1]，又忌迟重。板者，不知自己之运动。滞者，不知敌人之取舍。既不知己，又不知彼，则不成其为推手矣。迟重者，必以力御人，便成死手，非太极家之所取也。必曰掤者，黏也，非抗也。手向外掤，意欲黏回，又不使己之掤手与胸部贴近。得化劲全赖转腰。一转腰，则我之掤势已成矣。

注释

按：“有觉劲则懂劲便不难矣。”郑曼青先生在《十三篇·散手》中说：太极拳散手“只有一劲。曰接劲。能接劲。便是懂劲之极致”。

① 板滞：板，迟滞，即所谓“不知自己之运动”。滞，凝积，不流通，即所谓“不知敌人之取舍”。

二 搬式

搬者，连着彼之肘与腕，不抗不採，因彼伸臂袭我，我顺其势而取之，是收回意[1]谓之搬。此字义又与说文不同，乃拳术家之专用名词也。其方式，即搬法转腰，加上一手连着彼之肘节间，如上图。被搬者须本舍己从人，亦须知有舍人从己之处。被搬觉其手加重，便可乘之以靠。或觉其搬劲，忽有断续，则急舍其一边，而袭以挤可也。

二 搬 式

注释

① 此处遗漏句读，应为逗号。

三 挤 式

挤者，正与搌式相反，搌则诱彼敌之按劲，使其进而入我陷阱而取之，必胜矣。设我之动力，先为彼所觉，则彼进劲必中断，而变为他式，则我之搌势失效，则不可不反退为进。用前手侧採其肘，提起后手，加在前手小臂内便乘势挤出，则彼于仓率[1]变化之中，未有不失其机势，而被我挤出矣。被挤者须于变化中能镇定，有先觉，急空其挤劲，则便[2]成其按势矣。

三 挤 式

注释

① 率：为“促”之误。

② 便：顺便。

四 按 式

按者，因挤式不得其机势，便将右手，缘彼敌之左肘外廉[1]转，上[2]仍成搌式搌回。如搌又不得势，则翻右手，以手心按彼左肘节上抽出。左手又以手心按彼左腕上，是谓之按。按之转复为掤，掤搌挤按，终而复始，轮转不息，此谓练习黏连贴随之意也。

以上四式，变化无穷，笔难缕述[3]，望学者幸细心运会，于单人功架上之说明，详为参悟便易入门也。

四　按式

注释

① 廉：边，如《九章算术》：“边谓之廉，角谓之隅。”

② 上：应属上句，为“转上”。

③ 缕述：缕，列举。逐条详细叙述。

大攦式图解

第一节 掤 式

甲为掤。乙为按。（图 1）

图 1　掤 式

第二节 擸 式

甲左手为採，右为截，合其式为捌。乙为靠。（图 2）

图 2 擸 式

第三节 採 式

甲左採而变为闪，右[①]仍为切截。乙以左肘摺[②]住。（图 3）

图 3 採 式

注释

① 右：指右手。

② 摺：折叠。

按：李雅轩先生在“採式”页上的眉批：“闪字不对，应改为扇字，盖此势老师曾说过名扇面掌也。扇闪同音，定是曼青弄错也。”扇：扑打，如《武王伐纣平话》中所用：“忽有皂雕，飞起直来台上扇妲己。”。金仁霖老师认为：“……可以确定，‘闪掌’就是‘扑面掌’，或称‘闪面掌’。”

第四节 挤 式

甲挤而为靠。乙复变为採挒也。与第二节，姿势同。（图 4）

图 4 挤 式

右四式[①]互相推转，周而复始。其切要处，正在换步之灵妙耳。其神化，却非笔墨所能缕述，须口授指点，方能尽其变。兹按图解释，其步法手法如下。

注释

① 右四式：指“大攦式图解”。

大攦四隅推手解

四隅推手者，即大攦之方位，向四隅角转换，与合步推手之四正方向不同，合步推手与大攦一并谓之四正四隅，此即八卦之方位，所谓乾巽坎离，震兑艮坤，在推手中，即所谓攦挒[①]挤按，採挒肘靠。

大攦起式，两人向南北或东西对立，作双搭手式。甲照第一节图式，是以掤劲化乙之按劲，走左肘，翻左腕，握乙之右[②]腕是为採，右手不动即为切截，一变便为挒。挒者即撇开乙之左肘，向乙领际以掌斜击去。其步法即以第一图。前脚实而变虚，稍向前移进，后脚变实，前脚虚，如第二图，即攦式之变用，甲为採，乙为靠，即如第二节。至第三图，为採闪式，甲放弃左手採劲，而变为闪，闪者以掌向乙面部作伺击[③]状，步法皆未动，即如第三节。待乙起左手，退左脚与右脚一并，急复将左脚又向左隅角后退却一步，翻身后脚坐实，复以右手攦甲左手。以左手採甲右手时，甲即随乙之第一步退却时，甲[④]即追上一步，将左后后[⑤]脚提与前脚暂并。即乙复进第二步时，甲急移右脚向右前隅角进一步，即急将左脚插进乙之裆中，即加以右[⑥]肩贴近乙之左[⑦]臂靠去，是为进者三步，退者二步，中间有一步须两脚并齐之后，换步上去而成。第四节，即如第四图，第四图与第二图姿势同，甲乙攻守势一更易也，一再轮转，继续推下，与第三图换步同，故不再赘。四隅即依次转去便是，此为大攦之採挒肘靠，四手已具矣。惟此四手无一手非用法，手手皆可发劲，希学者幸细心按图揣摩，自有会心之处也。

注释

① 攦挒：《正版》勘误表："攦挒"为"掤攦"之误。

② 右：《正版》勘误表："右"为"左"之误。

③ 伺击：伺，窥测。找可乘之机进行反击。

④ 甲：此字衍。

⑤ 后：《正版》勘误表："后"字衍。

⑥ 右：《正版》勘误表："右"为"左"之误。

⑦ 左：《正版》勘误表："左"为"右"之误。

太极拳论[1]

一举动[2]，周身俱要轻灵，尤须贯串。气宜鼓荡，神宜内敛[3]。无[4]使有缺陷处，无使有凸凹处，无使有断续[5]处。其根在脚，发于腿，主宰于腰，形于手指。由脚而腿而腰，总须完整一气。向前退后，乃能得机得势。有不得机得势处，身便散乱，其病必于腰腿求[6]之，上下前后左右皆然。凡此皆是意，不在外面[7]。有上即有下，有前则有后，有左则有右。如意要向上，即寓下意。若将物掀起而加以挫之之力，斯其根自断，乃坏之速而无疑。虚实宜分清楚，一处有一处虚实，处处总此一虚实。周身节节贯串，无令丝毫间断耳。

注 释

① 该文在《太极拳使用法》中题为“禄禅师原文”。首见于经杨澄甫审定并首肯的陈微明学拳笔记《太极拳术》（中华书局 1925 年版）。书中插图为杨澄甫的早期拳照，以陈微明拳照补齐不足处。推手及大攦的插图为杨澄甫、陈微明、许禹生和陈志进。由于该书是首次公开杨澄甫拳术套路，又有杨澄甫拳照和杨氏家传拳谱，故影响甚广。此拳谱原无标题，陈微明命名为《太极拳论》，列为拳谱篇之首。1929 年出版吴图南的《国术太极拳》中，

以《太极拳用功秘诀》为题。后人鉴于王宗岳已有《太极拳论》存世，为避重复，按拳谱之末有“此系武当山张三峰祖师遗论”之语，亦称《张三丰太极拳论》。

②举动：行动。

③神宜内敛：“神”，上文是指精神活动，即“心”的活动，相当于一般所谓的“意”。“敛”有收藏、约束等义，古人将思想活动称为“神外游”。“神内敛”是指将思维活动即“意”约束收藏起来，也就是“摒思息虑”，现代医学称为“大脑入静”。

④无：《太极拳使用法》中作“毋”（wú），字义相同。

⑤断续：时而中断，时而接续。

⑥求：求知。求索。求证，此处为“寻找原因”之意。

⑦不在外面：有抄谱在此句后有“而在内也”之续句。

长拳者，如长江大海，滔滔不绝也。[①]掤攦挤按採挒肘靠，此八卦也。进步、退步、左顾、右盼、中定，此五行也。掤攦挤按，即乾坤坎离，四正方也。採挒肘靠，即巽震兑艮，四斜角也。进退顾盼定，即金木水火土也。合之则为十三势也[②]。

原注云：此系武当山张三峰祖师遗论，欲天下豪杰延年益寿，不徒作技艺之末也。

注释

①长拳者……滔滔不绝也：此句前在陈微明《太极拳术》和《太极拳使用法》中，有“十三势者”四字，此处疑漏。

②合之则为十三势也：在陈微明《太极拳术》和《太极拳使用法》中均无此句。

明王宗岳太极拳论

太极者，无极而生[①]，阴阳之母也。动之则分，静之则合。无过不及，随曲就伸。人刚我柔谓之走，我顺人背谓之黏[②]。动急则急应，动缓则缓随。虽变化万端，而理为一贯[③]。由着熟而渐悟懂劲，由懂劲而阶及神明，然非功力之久，不与豁然贯通焉。虚灵顶劲[④]，气沈丹田；不偏不倚，勿隐勿现。左重则左虚，右重则右杳。仰之则弥高，俯之则弥深，进之则愈长，退之则愈促。一羽不能加，蝇虫不能落。人不知我，我独知人。英雄所向无敌，盖皆由此而及也。斯技旁门甚多，虽势有区别，概不外乎[⑤]壮欺弱，慢让快耳。有力打无力，手慢让手快，是[⑥]皆先天自然之能，非关学力而有为也。察四两拨千斤之句，显非力胜；观耄耋[⑦]能御众之形，快何能为。立如平准[⑧]，活似车轮。偏沉则随，双重则滞。每见数年纯功，不能运化者，率自为人制，双重之病未悟耳。欲避此病，须知阴阳相济，方为懂劲。懂劲后，愈练愈精，默识揣摩，渐至从心所欲。本是舍己从人，多悟舍近求远。所谓差之毫厘，谬以千里[⑨]，学者不可不详辨焉。是为论[⑩]。

注释

① 无极而生：有抄本在此句后有“动静之机”四字。沈寿《太极拳谱》说：“因较早见于许本（许禹生《太极拳势图解》），故有人疑为许禹生所增。”

② 黏：在太极拳使用中，“沾”为“贴住”之意，“黏”为“缠锁、控制”之意。

③ 理为一贯：有抄本作“理唯一贯”或“惟性一贯”的。

④ 虚灵顶劲：《太极拳使用法》中为“虚领顶劲”。

⑤ 概不外乎：乎，文言介词。有抄本无“乎”字，其意不变。

⑥ 是：有作“此”的，其意同。

⑦ 耄耋：古指七十岁以上的老人，语出曹操《对酒歌》：“人耄耋，皆得以寿终。恩泽广及草木昆虫。”

⑧ 平准：平，平舒、不倾斜、无凹凸。平准是古代社会运用贵时抛售、贱时收买的方式，来求得稳定市场价格的一种经济措施。此处仅为“平舒准确”之意。

⑨ 差之毫厘，谬以千里：语出《汉书·司马迁传》：“差以毫厘，谬以千里。”

⑩ 是为论：原抄本（万本）和陈本在篇末有注：“此论句句切实，并无一字敷衍陪衬，非有夙慧，不能误也。先师不肯妄传，非独择人，亦恐妄费功夫耳。”

十三势行功心解

以心行气，务令沉着，乃能收敛[①]入骨。以气运身，务令顺遂[②]，乃能便利从心。精神能提得起，则无迟重之虞[③]，所谓顶头悬也。意气[④]须换得灵，乃有圆活之趣[⑤]，所谓变转虚实也。发劲须沉着松净，专主一方。立身须中正安舒，支撑八面。行气如九曲珠[⑥]，无往不利[⑦]（气遍身躯之谓）。运劲如百炼钢，无坚不摧[⑧]。形如搏兔之鹄[⑨]，神如捕鼠之猫。静如山岳，动如江河。蓄劲如开弓，发劲如放箭。[⑩]曲中求直，蓄而后发。力由脊发，步随身换。收即是放[⑪]，断而复连。往复须有折叠，进退须有转换。极柔软，然后极坚刚。能呼吸，然后能灵活。气以直养而无害，劲以曲蓄而有余。心为令，气为旗，腰为纛[⑫]。先求开展，后求紧凑，乃可臻于缜密[⑬]矣。

注释

按：《十三势行功心解》首见于陈微明著《太极拳术》（中华书局 1925 年版）。有称《王宗岳先生行功论》或称《打手要言》的。出于乾隆抄本《太极拳经》，相传为王宗岳所著，大多亦列入武禹襄名下，至今尚有争议。乾隆抄本《太极拳经》首见于姚馥春、姜容樵著《太极拳讲义》（1930 年由南京、上海两地同时出版。南京版插图为手绘，上海版插图为姚馥春、姜容樵拳照。山西科技出版社影印再版为南京版，台北逸文武术文化有限公司影印再版为上海版）的第十章“太极拳谱释义”，内容依次为“歌诀一”“歌诀二”“歌诀三”“歌诀四”“歌诀五”“十三势”“十三势歌诀六”“二十字诀”“十三势行功心解”“歌诀七”。其中，“十三势歌诀六”即“十三势歌”，它和“十三势行功心解”“二十字诀”，都在杨家有传。

① 收敛：归总、会聚。宋·周密《齐东野语·道学》：“朱公尤渊洽精诣，盖其以至高之才，至博之学，而一切收敛，归诸义理。”

② 顺遂：顺，适合、不别扭；遂，顺、如意。如宋·曾巩《礼部尚书制》：“威仪度数之详，声音律吕之别，莫不属焉。精微之至，所以统和天人，顺遂万物，其体可谓大矣。”

③ 则无迟重之虞：则，就。韩愈《师说》：“位卑则足羞，官盛则近谀。”迟重，迟钝，不敏捷，如《隋书·地理志中》：“人性多敦厚，务在农桑，好尚儒学而伤于迟重。”虞，忧虑、忧患。唐·韩愈《与凤翔邢尚书书》：“戎狄弃甲而远遁，朝廷高枕而无虞。”此句意为就不会有迟钝而不敏捷的忧虑。

④ 意气：意，意识，是在人的头脑中发生的精神思维活动。气，是一种合理的劲，人体动作是由传递性力量的“气”作用的结果。

按：李雅轩先生在《随笔之一》（《李雅轩杨氏太极拳法精解》第 4 页）中说道：“在练时，稳静安舒，心态泰然，反听观内以审身心之合”，这就是“意”的表现。他继而指出，“气”是腰主宰的起于脚的“气”，实质上是人体传递性的力量，也就是“劲”，不是气功之“气”。陈鑫先生在《陈氏太极拳图说》中将“气”直接说成是“劲”。太极拳经典拳谱所说的“以心行气，以气运身”说的也是人体动作是由实质为传递性力量的“气”作用的结果，这种“行气”与动作是一体的，而不是通过注意或思索得到的，不然必然如上谱所说“全身意在精神，不在气，在气则滞”。在讲究

“内三合”的拳术中所说到的“气”，都与力量有着密切的关联。

⑤ 趣：兴味、兴趣。如晋·陶渊明《归去来兮辞》：“园日涉以成趣。”

⑥ 九曲珠：《太极拳使用法》中解曰：“九曲珠者，即一个珠内有九曲湾也。人身譬如珠，四体百骇无不湾也，能行气四肢无有一处不到，行气九曲珠功成矣。”

按：在《杨式太极拳述真》(人民体育出版社 1990 年版) 第 197 页中，将“九曲珠”理解为是“九颗珠子”，由此创造出了“九曲珠”的功夫：“想象周身的动作好象是由一条线串起来的九个珠子的运动。”“第一颗在踝、第二颗在膝、第三颗在胯、第四颗在腰、第五颗在中心、第六颗在劲源、第七颗在肩、第八颗在肘、第九颗在腕”，“中线一紧，这九颗珠子就会挤到一起成为整体；中线一松，这九颗珠子又会松散开来。用珠子的一松一紧来表示肢体的一张一弛。”“利用这九颗珠子的一张一弛来发放对方。”“九颗珠子当中的一颗非常重要，它一方面要给前四颗珠子（即上半身）作后援；另一方面又要保持后四颗珠子（即下半身）的松软圆活，它最重要的作用还是作为全身动力的中心和发劲之源。”等。

《太极拳使用法》明确认为“九曲珠”仅仅是一颗内有九曲湾的珠子：“一个珠内有九曲湾”，并非是九颗珠子，人的身体就像这颗珠子，四体百骇就像珠子中的四通八达的“湾”。习练太极拳的一个重大追求，就是使由脚而起的传递力量能够顺畅地通过所有的“湾”，到达全身肢体任何一个部位的功夫，这是符合古拳谱原意并言简意赅的解释。说成是“九颗珠子”等，这是误读古拳谱中的经典名言，不仅不知其意，并且还牵强附会地进行解释，这种篡改与太极拳的一些重大法则是相悖的。

⑦ 无往不利：所到之处，没有不顺利的，指处处行得通，办得好，如清·李汝珍《镜花缘》第九十回：“贫道今日幸把些尘垢全都拭净，此后是皓月当空，一无渣滓，诸位才女定是无往不利。”《太极拳使用法》作“无微不到”即“无微不至”之意：无论如何细微，都能周全照应；极言细微之至，谓没有一个细小的地方不考虑周到。如清·宣鼎《夜雨秋灯录三集·补

骗子》："（倪某）住旅寓有时矣，迫切钻营，无微不至。""无往不利"与"无微不到"两词其义相通。

⑧ 无坚不摧：形容力量非常强大，没有什么坚固的东西不能摧毁，如《旧唐书·孔巢文传》："（田）悦酒酣，自其骑之艺，拳勇之略，因曰：'若蒙见用，无坚不摧。'"《太极拳使用法》中有作"何坚不摧"的。何，什么，疑问代词。意为有什么坚固的东西不能摧毁。其义相通。

⑨ 鹄：音 hú，天鹅。此字疑作"鹘"，音 hú，隼也，属鹰科，为大型猛禽。故以鹘为是。"鹄""鹘"同音，疑为笔误。

⑩ 蓄劲如开弓，发劲如放箭：武禹襄传人李亦畬依据这一论述，发展为"五弓合一"之说，著有《身备五弓解》。杨澄甫注："蓄者，藏也，太极劲不在外，藏于内，与敌对手时，内劲如开弓，不射之圆满，犹皮球有气充之……我如弓，敌如箭，出劲之速，敌如箭出矣。"众多拳家的诠释均为"发劲迅猛如箭"。

按：太极拳并不仅仅是"沾粘连随"的功夫，如杨氏老谱《三十二目》所说"内要含蓄坚刚而不施，外终柔软而迎敌"，迎敌就必需具备"发劲如放箭"的攻击能力，否则《王宗岳太极拳论》中所说的"英雄所向无敌"和"无坚不摧"是根本不可能实现的。

对于老拳谱中的一些文献，有不少拳家是从推手这个角度来理解并解释的。其实，推手只是习练拳架和散手搏击之间一种作为过渡的训练项目，主要是在掤攦挤按採挒肘靠中，实现沾黏连随与发劲的习练，但并不等于是实战习练。太极拳为武术，武术是上为战斗（戈），下为停止（止）的格斗技术，也就是使用打斗、搏击等手法，来达到征服对手，而起到停止战斗的目的的技术。前人习武，并非仅为"和平共处"如胶如漆、百般纠缠的推手而已。因此，对于早期的拳谱和武学著述仅理解为推手技术，不免偏废。太极拳的实战还必须掌握蹬、踢、打、摔、扑、膝、点、拿、接等高难度的武术技击手段。如果没有经过太极散手习练，那就可以说是根本没有实战能力，也就是说在太极拳方面的造诣只是走在半途而已。言曰："武术，上武得道平天下，中武入喆安身心，下武精技防侵害。”说的就是习练武术的道理。

⑪ 收即是放：句后漏“放即是收”。

⑫ 纛：音 dào，古代军队里的大旗。许浑《中秋夕寄大梁刘尚书》：“柳营出号风生纛。”

⑬ 臻于缜密：臻，达到完备美好。缜密，细致、谨慎周密。

按：“有气者无力，无气者纯刚。”是对句互文，也称为互备、互辞，是古诗文中常采用的一种修辞方法。古汉语中对互文的解释是：“参互成文，含而见文。”具体地说，这是一种互辞形式：上下两句或一句话中的两个部分，看似各说两件事，实则上是在互相呼应、互相阐发、互相补充中说的是同一件事。由上下文义互相交错、互相渗透、互相补充来表达一个完整句子意思的修辞方法，这种修辞和阅读方法叫“互文见义”。

“有气者无力，无气者纯刚。”应该理解为“有气者无（纯刚之）力，无气者（为）纯刚（之力）”。亦即上句省略了“纯刚”，下句省略了“力”，“力”和“纯刚”是对句互文。意思是能够行气者，就能掌握“劲”的运用，因此不含僵拙的“纯刚”之力，如果不能够行气，也就没有掌握“劲”的运用，身上所出现的力量必定是僵拙的“纯刚之力”。

在太极拳老拳谱中运用互文的例子比较多见，如为单句互文的有“提顶吊裆”“神舒体静”“缓应急随”“随屈就伸”等；对句互文的有“气以直养而无害，劲以曲蓄而有余”“变转虚实须留意，气遍身躯不少滞”“察四两拨千斤之句，显非力胜；观耄耋能御众之形，快何能为”“人刚我柔谓之走，人背我顺谓之黏”等。只有对互文修辞有所了解，在翻阅太极拳经典老拳谱时才能相应了解其中含义，明白句中所要传达的准确意思。否则非但不能理解，反而会因牵强附会而把意思搞反。

又曰：彼不动，己不动，彼微动，己先动。劲似松非松，将展未展，劲断意不断。

又曰：先在心，后在身，腹松气沈入骨。神舒体静，刻刻在心。切记：一动无有不动，一静无有不静。牵动往来气贴背，而敛入脊骨。内固精神，外示安逸。迈步如猫行，运劲如抽丝。全身意在精神，不在气，在气则滞，有气者无力，无气者纯刚。气若车轮，腰如车轴。

十三势歌

十三势来莫轻视，命意源头在要际。[①]

注释

按："十三势歌"为十三势长拳（太极拳前称）的古歌诀，在《乾隆抄本》中为《十三势歌诀》，杨氏、武氏、李氏拳谱中都有收录，武氏、李氏《廉让堂太极拳谱》中为《十三势行功（工）歌》，陈微明《太极拳术》中为《十三势歌》。《乾隆抄本》中此歌诀被列为第六首，对照字数、措词风格和古代语法修辞来看，与其他古歌诀尚无协调之处，疑为后人在流传转抄时将其与其他古歌诀混杂集册。由于歌诀蕴含的拳术思想与王宗岳拳谱一致，故普遍认为此歌诀与《太极拳论》《太极拳释名》《打手歌》四篇均出于清代山西王宗岳之笔，此说颇为牵强：其一，此歌诀在措辞风格和行文习惯上与《太极拳论》等篇大相径庭；其二，王宗岳《太极拳论》是"太极拳"名最早出现的首篇，既然如此，该歌诀名理应对应其他两篇，称《太极拳歌》才合理。

张士一（1886—1969年，江苏吴江人。1901年入上海南洋公学，后入美国哥伦比亚大学师范学院深造，获硕士学位。回国后，在南京高等师范学校即现南京大学等单位历任副教授、教授等职。太极拳师从郝月如）认为，此歌诀出于王宗岳《太极拳论》之前也是有其道理的。唐豪在《廉让堂本“太极拳谱”》中考释说：“王宗岳足迹不出黄河之南，可证长拳十三势在乾隆时代已由温县陈沟外传。”其中“由温县陈沟外传”之说，也只是论据不足的探讨而已。

①十三势来莫轻视，命意源头在要际：十三势来，有谱作“十三总势”，古太极拳有多种习练形式，据杨家所传，按开展与紧凑可分为大、中、小架，按姿势的高低可分为低、中、高架等，总的来说，各种拳式的拳理和招式运用基本相同。轻视，不重视，如《管子·乘马数》：“彼物轻则见泄。”有谱作“轻识”；要，为“腰”之误；际，《太极拳使用法》作“隙”。命意，寓意，为文与作画时的构思，古文化中谓之“心”，如《黄帝内经·灵枢·本神》：“可以任物谓之心，心有所忆谓之意。”“以心行气”，“以气运身”而“主宰于腰”，本句意为“用作为最高主宰的‘心’来支配全身，发动源头在腰隙”。

变转虚实须留意，气遍身躯不少滞。①
静中触动动犹静，因敌变化示神奇。②
势势存心揆用意，得来不觉费功夫。③

注释

① 变转虚实须留意，气遍身躯不少滞：变转，有谱作“变换”。留意，关心，有谱作“留神”。少，此处为“稍”之误。滞，凝积，不流通。

② 静中触动动犹静，因敌变化示神奇：触，知觉、感触，“因敌变化”而产生“静中触动”，继而“虽动又静”。示，有谱作“是”。

③ 势势存心揆用意，得来不觉费功夫：揆，揣测，有谱作“须”。存心揆用意，有谱作“揆心须用意”。意，指精神功能。功夫，武术技能，疑为

"工夫"之误。费工夫，耗费的时间和精力，如《抱朴子·遐览》："艺文不贵，徒消工夫。"两句意为在心里用意念揣测，来支配每一式动作，能收获本事，想不到是需要耗费很多时间和精力的。

刻刻留心在腰间，腹内松净气腾然。①
尾闾中正神贯顶，满身轻利顶头悬。②
仔细留心向推求，屈伸开合听自由。③

注释

① 刻刻留心在腰间，腹内松净气腾然：刻刻，每时每刻，如《醒世恒言·卷十九》："大恩未报，刻刻于怀。"留心，关注。松净，有谱作"松静"。腾，上升，如《礼记·月令》："孟春之月……地气上腾。"然，副词，在句尾表示肯定的语气，同"焉"。

② 尾闾中正神贯顶，满身轻利顶头悬：中正，有谱作"正中"，同义。顶，头顶。神贯顶，形容精神提起，与"神内敛"和"虚灵"同义。轻利，不费力、灵巧，是对"变转虚实须留意，气遍身躯不少滞"的概括。顶头悬，头顶如被悬提，是对古歌诀中的"顺项贯顶"、王宗岳注文中的"顶劲""提顶"的另一种称谓。

③ 仔细留心向推求，屈伸开合听自由：向，介词，同现代汉语"对"。推求，推敲、寻求、体悟，如《后汉书·王烈传》："烈使推求。"屈伸，即"随屈就伸""沾黏连随"。开合，展放和收缩，太极拳的"开合"主要是指"内开外合"，发劲也是"屈伸开合"的反映，亦指太极拳的所有活动过程。听，任凭，如《庄子·徐无鬼》："匠石运斤成风，听而斫之，尽垩而鼻不伤。"自由，由己作主，如南北朝《孔雀东南飞》："吾意久怀忿，汝岂得自由。""听自由"亦为王宗岳所说的"从心所欲"，是指太极拳达到"懂劲"的境界。

入门引路须口授，功夫无息法自修。[1]

若言体用何为准，意气君来骨肉臣。[2]

注释

① 入门引路须口授，功夫无息法自修：引路，领路，如唐·刘禹锡《答张侍御贾喜再登科后，自洛赴上都赠别》："春风引路入京城。"有谱作"道路"。口授，口头传授，如《汉书·艺文志》："仲尼思存前圣之业……有所褒讳贬损，不可书见，口授弟子。"息，停止。法，方法。修，钻研、学习。自修，自我钻研，有谱作"自休"为误。功夫无息法自修，意为功夫的习练是无止尽的，在方法上靠的是自我不断学习和钻研。

② 若言体用何为准，意气君来骨肉臣：体，指内容，如《左传·闵公元年》："六体不易，合而能固。"用，指施行、行动、行事。体用，指本体和作用，如《参同契·卷下》："春夏据内体……秋冬当外用。"准，标准、准则，指学练十三势长拳必须遵循的纲要性的标准和法则，如《周礼·考工记·辀人》："辀注则利准，利准则久。"意气君，"意气"之"气"是指精神，与"气遍身躯"之"气"是两个概念。这两句意为至于十三势长拳的学习锻炼以什么作为纲要性的准绳呢？那就是精神，是以精神锻炼为实质，而肢体动作的锻炼则是辅助的。

想推用意终何在[1]，益寿延年不老春。

歌兮歌兮百四十，字字真切义无遗。[2]

若不向此推求去，枉费工夫贻叹息。[3]

注释

①想推用意终何在：想推，“推想”的错序措词，为推研、推究思索之意，有谱作“详推”，为“详细推究”的意思。用意，意图。如《论衡·顺鼓》：“说者用意异也。”终，到底、终究之意，如《墨子·天志中》：“欲以此求赏誉，终不可得。”何在，原为“在哪里”的意思，这里引申为“是什么”。全句意为推究学练与终生锻炼的意图到底是什么呢？

②歌兮歌兮百四十，字字真切义无遗：兮，文言助词，相当于现代的“啊”或“呀”，有谱作“歌兮歌兮百卌字”，卌（xì），意为四十。遗，有谱作“疑”，分别为“遗漏”和“疑问”解，均可。此两句意为这首歌一共有一百四十个字（指前面二十句，后四句为总结），全部阐明了十三势长拳的拳理，没有遗漏一处明确的道理。

③若不向此推求去，枉费工夫贻叹息：意为习练者如果不像歌诀所述的那样去研究追求，那就是白白耗费时间与精力，最后只能为达不到目的而叹息。

打手歌

掤攌挤按①须认真，上下相随人难进②。任他巨力来打吾③，掤动四两拨千斤④。引进落空合即出⑤，拈连贴随不丢顶⑥。

注释

按：本歌诀名为《打手歌》，一般认为是王宗岳所著《太极拳谱》中的四篇原文之一。打手，古时喻指精于技击、勇敢善战的人，如明·唐顺之《叙广右战功》："其酋杨留者无所归，乃率其党千余人诣宾州应募为打手。"由此可见，古时所谓"打手"并非仅仅指"推手"，而是技击、搏击的功夫。《打手歌》也并非仅仅是关于推手的歌诀，其实质是包括散手等实战应用的战术思想，也是太极拳体用精要的浓缩。现代许多拳家把《打手歌》仅仅看作是关于推手的歌诀，这种解释显然是狭窄而片面的。

《打手歌》究竟为何人在何时所作，歌诀题名是后人所加抑或是原作者所拟订？现在已无法确凿考证。沈寿在《太极拳谱》一书中记述："其作者为王宗岳，最早是没有争议的。后经唐豪考据认为，《打手歌》当系王宗岳据前人著作润改而成。"其理由为"陈家沟有四句及六句《打手歌》……随后顾留馨应之，定《打手歌》为'王宗岳修订'，但这毕竟属一家之说，兹特录以备考"。仅有四十二个字的《打手歌》，完整地描述了从与对手开始接触，至发动攻击的全过程，也是太极拳所有应用形式要求精炼的概括，它所阐述的战术思想与行文风格与《太极拳论》完全一致，因此，此歌诀为王宗岳晚年所作是可信的。

① 掤攦挤按：喻指太极十三势，李雅轩曾说道："掤攦挤按须认真，就等于说十三势须认真。"

② 上下相随人难进：人，指对手或设想之对手。进，进攻，指攻击到自己身躯中路。此句意为（我）身躯四肢都相随于对手，对手就无从攻击我的身躯。

③ 任他巨力来打吾：他，与第二句的"人"相同，指对手或设想之对手。巨力，巨大的力。打，攻击，如《梁书·侯景传》："我在此打贺拔胜、破葛荣，扬名河朔。"吾，为"我"之意。

④ 掤动四两拨千斤：掤，为"牵"之误。牵，原意为引导、牵引等，此处意为借人之力，随之由腰脊为主宰而带领躯体转动的动作。拨，摆弄、分开，如唐·白居易《香炉峰下新卜山居草堂初成偶题东壁重题》："香炉风雪拨帘看。"千斤，喻指上句之"巨力"。

按："牵动四两拨千斤"是一武术技法术语，有简称为"四两拨千斤"的。"四两"何以"拨千斤"？"牵"与"拨"两个字缺一不可，没有了"牵"，别说"四两"，就是四百斤也难以"拨"动"千斤"的。

牵，形声字。从牛，"冖"像牵牛的绳，玄声。本义为牵牛。《说文》：牵，引前也；《广雅》：牵，引也。意为"引领向前"。郑曼青先生在《十三篇》中引申其意说："牵字之法，譬如牛重千斤，穿鼻之绳，不过四两，以四两之绳，牵千斤之牛，左右如意……然则，牛可以四两之绳牵之，如千斤之石马，亦能以四两之朽索牵之乎？"由此可见，用"四两"之绳能"牵动"千斤之牛，是源于牛本身向前的动力，如牛回头撒腿就跑，"四两"之绳根本难以"牵"得住。

回到拳术上来，郑曼青先生接着说：对方以千斤之力对直来攻击我的时候，他的来力是有方向的，我"牵其手之末，顺其势而斜出之，此之谓牵"。

破坏了对方的来力方向，对方的力会因此而落空，“则此时以劲拔之，未有不掷出寻丈之外者。然牵之之劲，只要四两足矣”。上述所谓的“拔”可称之为“顺拔”。如对方感觉有被牵动，便蓄力而不再向前，并企图往后抽脱之时，他的来力已经被挫，我“便舍牵之之劲，而反为发放，则彼未有不应手而倒”。上述所谓的“拔”，其意即为下句“引进落空合即出”，可称为“反拔”。郑曼青先生说：“以上种种，皆澄师口授指点之传于曼青者，不敢自秘。”

⑤引进落空合即出：引，引导，“引”是不含主动的运动形式，它的动力来自于对方而不是自己，它是不丢、不顶、顺着对方的力而动的，它的主动力量是对方感觉不到的。进，靠近，如《礼记·檀弓上》：“丧服，兄弟之子犹子也，盖引而进之。”合，相符，如《孙子·九地》：“合于利而动，不合于利而止。”引申为“牵”“蓄”。出，引申为“发”。即出，立即出动，向对手发出攻击。

⑥拈连贴随不丢顶：拈连贴随，为“沾连黏随”之误。沾，没有主动动力的轻轻接触。不丢顶，不离开接触又不支撑，即“不丢不顶”，用李雅轩所说，就是“不丢是不脱离对方的手，不顶是不抵抗对方的手。”

中华民国二十三年二月初版
太极拳体用全书第一集
定价大洋三元正
外埠另加邮汇费
著　者　广平杨澄甫
校　者　永嘉郑曼青
代售处　上海各大书局及外埠各书局

勘误表

页数	行数	字数	正	误
三四	一五	一一	左	右
三四	一五	一七	右	左
三六	四	四	势	来
三六	一一	二二	牵	掤
三四	七	二六	左	右

新书预告

武学名家典籍丛书

孙禄堂武学集注

（形意拳学　八卦拳学　太极拳学　八卦剑学　拳意述真）

孙禄堂　著　　孙婉容　校注　　定价：288 元

杨澄甫武学辑注

（太极拳使用法　太极拳体用全书）

杨澄甫　著　　邵奇青　校注　　定价：178 元

陈微明武学辑注

（太极拳术　太极剑　太极答问）

陈微明　著　　二水居士　校注　　定价：218 元

（第一辑）

李存义武学辑注

（岳氏意拳五行精义　岳氏意拳十二形精义　三十六剑谱）

李存义　著　　阎伯群　李洪钟　校注　　定价：258 元

张占魁形意武术教科书

张占魁　著　　吴占良　校注

薛颠武学辑注

（形意拳术讲义上编　形意拳术讲义下编　象形拳法真诠　灵空禅师点穴秘诀）

薛　颠　著　　王银辉　校注　　　　　　　　定价：348 元

（第二辑）

陈鑫陈氏太极拳图说（配光盘）

陈　鑫　著　　陈东山　陈晓龙　陈向武　校注

董英杰太极拳释义

董英杰　著　　杨志英　校注

许禹生武学辑注

（太极拳势图解　陈氏太极拳第五路　少林十二式）

许禹生　著　　唐才良　校注

（第三辑）

李剑秋形意拳术

李剑秋　著　　王银辉　校注

刘殿琛形意拳术抉微

刘殿琛　著　　王银辉　校注

靳云亭武学辑注

（形意拳图说　形意拳谱五纲七言论）

靳云亭　著　　王银辉　校注

（第四辑）

武学古籍新注丛书

王宗岳太极拳论

李亦畬　著　　二水居士　校注　　定价：50 元

太极功源流支派论

宋书铭　著　　二水居士　校注　　定价：68 元

太极法说

二水居士　校注　　定价：65 元

（第一辑）

手战之道

赵　晔　沈一贯　唐顺之　何良臣　戚继光　黄百家　黄宗羲　著

王小兵　校注

（第二辑）

百家功夫丛书

张策传杨班侯太极拳 108 式　（**配光盘**）

张　喆　著　　韩宝顺　整理　　定价：48 元

河南心意六合拳　（**配光盘**）

李洳波　李建鹏　著　　定价：79 元

（第一辑）

形意八卦拳

贾保寿　著　　武大伟　整理　　定价：49 元

张鸿庆传形意拳练用法释秘　　邵义会　著
王映海传戴氏心意拳精要　　王映海　口述　王喜成　主编
戴氏心意拳功理秘技　　王　毅　编著

（第二辑）

华岳心意六合八法拳　　张长信　著
程有龙传震卦八卦掌　　奎恩凤　著
杨振基传太极拳内功心法　　胡贯涛　著
刘晚苍内家功夫及手抄老谱　　刘晚苍　刘光鼎　刘培俊　著

（第三辑）

民间武学藏本丛书

守洞尘技　　崔虎刚　校注
通臂拳　　崔虎刚　校注
心一拳术　　李泰慧　著　崔虎刚　校注
六合拳谱　　崔虎刚　校注
少林论郭氏八翻拳　　崔虎刚　校注

（第一辑）

心意拳术学　　戴　魁　著　崔虎刚　校注
武功正宗　　买壮图　著　崔虎刚　校注
太极纲目　　崔虎刚　校注
神拳拳谱　　崔虎刚　校注
精气神拳书·王堡枪　　崔虎刚　校注

（第二辑）

老谱辨析点评丛书

再读浑元剑经　　马国兴　著

再读王宗岳太极拳论　　马国兴　著

再读杨式老谱　　马国兴　著

再读陈氏老谱　　马国兴　著

（第一辑）

民国武林档案丛书

尚武一代——中华武士会健者传　　阎伯群　编著

太极往事　　季培刚　著

（第一辑）

拳道薪传丛书

三爷刘晚苍——刘晚苍武功传习录

刘源正　季培刚　编著　　定价：54 元

尉苍先生金仁霖——太极传心录　　金仁霖　著

习武见闻与体悟　　陈惠良　著

（第一辑）

图书在版编目（CIP）数据

杨澄甫武学辑注——太极拳体用全书 / 杨澄甫著；邵奇青校注.—北京：北京科学技术出版社，2016.7（2021.4 重印）

（武学名家典籍丛书）

ISBN 978-7-5304-8395-4

Ⅰ. ①太… Ⅱ. ①杨… ②邵… Ⅲ. ①太极拳－基本知识 Ⅳ. ①G852.11

中国版本图书馆 CIP 数据核字（2016）第 117746 号

杨澄甫武学辑注——太极拳体用全书

作　　者：杨澄甫
校 注 者：邵奇青
策　　划：王跃平　常学刚
责任编辑：于　雷　胡志华
责任校对：贾　荣
责任印制：张　良
封面设计：张永文
版式设计：王跃平
出 版 人：曾庆宇
出版发行：北京科学技术出版社
社　　址：北京西直门南大街 16 号
邮政编码：100035
电话传真：0086-10-66135495（总编室）
0086-10-66113227（发行部）　0086-10-66161952（发行部传真）
电子信箱：bjkj@bjkjpress.com
网　　址：www.bkydw.cn
经　　销：新华书店
印　　刷：保定市中画美凯印刷有限公司
开　　本：787mm × 1092mm　1/16
字　　数：150 千字
印　　张：17.75
插　　页：4
版　　次：2016 年 7 月第 1 版
印　　次：2021 年 4 月第 5 次印刷
ISBN　978-7-5304-8395-4/G·2458

定　　价：78.00 元

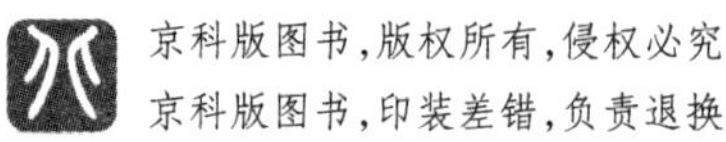